LES SÉQUESTRÉS
D'ALTONA

ŒUVRES DE JEAN-PAUL SARTRE

Romans :

La Nausée.
Les Chemins de la Liberté
    i. L'Age de Raison.
    ii. Le Sursis.
    iii. La Mort dans l'Ame.

Nouvelles :

Le Mur *(Le Mur — La Chambre — Érostrate — Intimité — L'Enfance d'un Chef).*

Théâtre :

Les Mouches.
Les Mains sales.
Huis Clos.
Le Diable et le Bon Dieu.
Théatre, I : *Les Mouches — Huis Clos — Morts sans Sépulture — La Putain respectueuse.*
Kean, *(d'après Alexandre Dumas).*
Nekrassov.
Les Séquestrés d'Altona.

Littérature :

Situations, I, II, III.
Saint Genet, comédien et martyr *(tome premier des Œuvres complètes de Jean Genet).*
Beaudelaire.

Philosophie :

L'Imaginaire *(Psychologie phénoménologique de l'Imagination).*
L'Être et le Néant *(Essai d'Ontologie phénoménologique).*

★

*On trouvera à la fin du volume
la suite des œuvres de Jean-Paul Sartre.*

JEAN-PAUL SARTRE

LES SÉQUESTRÉS D'ALTONA

pièce en cinq actes

GALLIMARD
5, rue Sébastien-Bottin, Paris VIIᵉ

Il a été tiré de l'édition originale de cet ouvrage quarante-cinq exemplaires sur vélin de Hollande van Gelder, dont quarante numérotés de 1 à 40, et cinq, hors commerce, marqués de A à E ; et deux cent dix exemplaires sur vélin pur fil Lafuma-Navarre, dont deux cents numérotés de 41 à 240 et dix, hors commerce, marqués de F à O.

NOTE PRÉLIMINAIRE

J'ai cru forger le nom de Gerlach. Je me trompais : c'était une réminiscence. Je regrette mon erreur d'autant plus que ce nom est celui d'un des plus courageux et des plus notoires adversaires du National-Socialisme.

Hellmuth von Gerlach a consacré sa vie à lutter pour le rapprochement de la France et de l'Allemagne et pour la paix. En 1933 il figure en tête des proscrits allemands ; on saisit ses biens et ceux de sa famille. Il devait mourir en exil, deux ans plus tard, après avoir consacré ses dernières forces à secourir ses compatriotes réfugiés.

Il est trop tard pour changer le nom de mes personnages, mais je prie ses amis et ses proches de trouver ici mes excuses et mes regrets.

LES SÉQUESTRÉS
D'ALTONA

ont été représentés pour la première fois au Théâtre de la Renaissance (direction Vera Korène) le 23 septembre 1959.

★

DISTRIBUTION

dans l'ordre d'entrée en scène :

LENI	Marie-Olivier
JOHANNA	Evelyne Rey
WERNER	Robert Moncade
LE PÈRE..................	Fernand Ledoux
FRANTZ	Serge Reggiani
LE S. S. ET L'AMÉRICAIN.....	William Wissmer
LA FEMME.................	Catherine Leccia
LIEUTENANT KLAGES........	Georges Pierre
UN FELDWEBEL	André Bonnardel

★

Mise en scène de François DARBON
Décors de Yvon HENRY
Décors réalisés par Pierre DELORME
et peints par Pierre SIMONINI
Réalisation sonore de Antonio MALVASIO

ACTE PREMIER

Une grande salle encombrée de meubles préten-
tieux et laids, dont la plupart datent de la fin du
XIXᵉ siècle allemand. Un escalier intérieur conduit
à un petit palier. Sur ce palier, une porte close.
Deux portes-fenêtres donnent, à droite, sur un
parc touffu ; la lumière de l'extérieur semble
presque verdie par les feuilles d'arbres qu'elle
traverse. Au fond, à droite et à gauche, deux
portes. Sur le mur du fond, trois immenses photos
de Frantz ; un crêpe sur les cadres, en bas et
à droite.

SCÈNE PREMIÈRE

LENI, WERNER, JOHANNA

Leni debout, Werner assis dans un fau-
teuil, Johanna assise sur un canapé. Ils
ne parlent pas. Puis, au bout d'un ins-
tant, la grosse pendule allemande sonne
trois coups. Werner se lève précipitam-
ment.

Leni, *éclatant de rire.* — Garde-à-vous ! (*Un*

temps.) A trente-trois ans ! (*Agacée.*) Mais ras-
sieds-toi !

JOHANNA. — Pourquoi ? C'est l'heure ?

LENI. — L'heure ? C'est le commencement de
l'attente, voilà tout. (*Werner hausse les épaules.
A Werner.*) Nous attendrons : tu le sais fort bien.

JOHANNA. — Comment le saurait-il ?

LENI. — Parce que c'est la règle. A tous les
conseils de famille...

JOHANNA. — Il y en a eu beaucoup ?

LENI. — C'étaient nos fêtes.

JOHANNA. — On a les fêtes qu'on peut. Alors ?

LENI, *enchaînant.* — Werner était en avance et
le vieil Hindenburg en retard.

WERNER, *à Johanna.* — N'en crois pas un mot :
le père a toujours été d'une exactitude militaire.

LENI. — Très juste. Nous l'attendions ici pendant qu'il fumait un cigare dans son bureau en
regardant sa montre. A trois heures dix il faisait
son entrée, militairement. Dix minutes : pas une
de plus, pas une de moins. Douze aux réunions
du personnel, huit quand il présidait un conseil
d'administration.

JOHANNA. — Pourquoi se donner tant de peine ?

LENI. — Pour nous laisser le temps d'avoir
peur.

JOHANNA. — Et aux chantiers ?

LENI. — Un chef arrive le dernier.

JOHANNA, *stupéfaite.* — Quoi ? Mais qui dit
cela ? (*Elle rit.*) Personne n'y croit plus.

LENI. — Le vieil Hindenburg y a cru cinquante
ans de sa vie.

JOHANNA. — Peut-être bien, mais à présent...

LENI. — A présent, il ne croit plus à rien. (*Un*

temps.) Il aura pourtant dix minutes de retard.
Les principes s'en vont, les habitudes restent :
Bismarck vivait encore quand notre pauvre père
a contracté les siennes. (*A Werner.*) Tu ne te les
rappelles pas, nos attentes ? (*A Johanna.*) Il
tremblait, il demandait qui serait puni !

WERNER. — Tu ne tremblais pas, Leni ?

LENI, *sèchement, elle rit.* — Moi ? Je mourais
de peur mais je me disais : il paiera.

JOHANNA, *ironiquement.* — Il a payé ?

LENI, *souriante, mais très dure.* — Il paye.
(*Elle se retourne sur Werner.*) Qui sera puni,
Werner ? Qui sera puni de nous deux ? Comme
cela nous rajeunit ! (*Avec une brusque violence.*)
Je déteste les victimes quand elles respectent leurs
bourreaux.

JOHANNA. — Werner n'est pas une victime.

LENI. — Regardez-le.

JOHANNA, *désignant la glace.* — Regardez-vous.

LENI, *surprise.* — Moi ?

JOHANNA. — Vous n'êtes pas si fière ! Et vous
parlez beaucoup.

LENI. — C'est pour vous distraire : il y a longtemps que le père ne me fait plus peur. Et puis,
cette fois-ci, nous savons ce qu'il va nous dire.

WERNER. — Je n'en ai pas la moindre idée.

LENI. — Pas la moindre ? Cagot, pharisien, tu
enterres tout ce qui te déplaît ! (*A Johanna.*) Le
vieil Hindenburg va crever, Johanna. Est-ce que
vous l'ignoriez ?

JOHANNA. — Non.

WERNER. — C'est faux ! (*Il se met à trembler.*)
Je te dis que c'est faux.

LENI. — Ne tremble pas ! (*Brusque violence.*)

Crever, oui, crever ! Comme un chien ! Et tu as
été prévenu : la preuve, c'est que tu as tout
raconté à Johanna.

JOHANNA. — Vous vous trompez, Leni.

LENI. — Allons donc ! Il n'a pas de secrets pour
vous.

JOHANNA. — Eh bien, c'est qu'il en a.

LENI. — Et qui vous a informée ?

JOHANNA. — Vous.

LENI, *stupéfaite*. — Moi ?

JOHANNA. — Il y a trois semaines, après la
consultation, un des médecins est allé vous
rejoindre au salon bleu.

LENI. — Hilbert, oui. Après ?

JOHANNA. — Je vous ai rencontrée dans le couloir : il venait de prendre congé.

LENI. — Et puis ?

JOHANNA. — Rien de plus. (*Un temps.*) Votre
visage est très parlant, Leni.

LENI. — Je ne savais pas cela. Merci. J'exul-
tais ?

JOHANNA. — Vous aviez l'air épouvantée.

LENI, *criant*. — Ce n'est pas vrai !

Elle se reprend.

JOHANNA, *doucement*. — Allez regarder votre
bouche dans la glace : l'épouvante est restée.

LENI, *brièvement*. — Les glaces, je vous les
laisse.

WERNER, *frappant sur le bras de son fauteuil*. —
Assez ! (*Il les regarde avec colère.*) Si c'est vrai
que le père doit mourir, ayez la décence de vous
taire. (*A Leni.*) Qu'est-ce qu'il a ? (*Elle ne répond
pas.*) Je te demande ce qu'il a.

LENI. — Tu le sais.

WERNER. — Ce n'est pas vrai !

LENI. — Tu l'as su vingt minutes avant moi.

JOHANNA. — Leni ? Comment voulez-vous ?...

LENI. — Avant d'aller au salon bleu, Hilbert est passé par le salon rose. Il y a rencontré mon frère et lui a tout dit.

JOHANNA, *stupéfaite*. — Werner ! (*Il se tasse dans son fauteuil sans répondre.*) Je... Je ne comprends pas.

LENI. — Vous ne connaissez pas encore les Gerlach, Johanna.

JOHANNA, *désignant Werner*. — J'en ai connu un à Hambourg, il y a trois ans et je l'ai tout de suite aimé : il était libre, il était franc, il était gai. Comme vous l'avez changé !

LENI. — Est-ce qu'il avait peur des mots, à Hambourg, votre Gerlach ?

JOHANNA. — Je vous dis que non.

LENI. — Eh bien, c'est ici qu'il est vrai.

JOHANNA, *tournée vers Werner, tristement*. — Tu m'as menti !

WERNER, *vite et fort*. — Plus un mot. (*Désignant Leni.*) Regarde son sourire : elle prépare le terrain.

JOHANNA. — Pour qui ?

WERNER. — Pour le père. Nous sommes les victimes désignées et leur premier objectif est de nous séparer. Quoi que tu puisses penser, ne me fais pas un reproche : tu jouerais leur jeu.

JOHANNA, *tendre, mais sérieuse*. — Je n'ai pas un reproche à te faire.

WERNER, *maniaque et distrait*. — Eh bien, tant mieux ! Tant mieux !

JOHANNA. — Que veulent-ils de nous ?

WERNER. — N'aie pas peur : ils nous le diront.

Un silence.

JOHANNA. — Qu'est-ce qu'il a ?

LENI. — Qui ?

JOHANNA. — Le père.

LENI. — Cancer à la gorge.

JOHANNA. — On en meurt ?

LENI. — En général. (*Un temps.*) Il peut traîner. (*Doucement.*) Vous aviez de la sympathie pour lui, n'est-ce pas ?

JOHANNA. — J'en ai toujours.

LENI. — Il plaisait à toutes les femmes. (*Un temps.*) Quelle expiation ! Cette bouche qui fut tant aimée... (*Elle voit que Johanna ne comprend pas.*) Vous ne le savez peut-être pas, mais le cancer à la gorge à cet inconvénient majeur...

JOHANNA, *comprenant.* — Taisez-vous.

LENI. — Vous devenez une Gerlach, bravo !

> *Elle va chercher la Bible, gros et lourd volume du XVIᵉ siècle, et la transporte avec difficulté sur le guéridon.*

JOHANNA. — Qu'est-ce que c'est ?

LENI. — La Bible. On la met sur la table quand il y a conseil de famille. (*Johanna la regarde, étonnée. Leni ajoute, un peu agacée.*) Eh bien, oui : pour le cas où nous prêterions serment.

JOHANNA. — Il n'y a pas de serment à prêter.

LENI. — Sait-on jamais ?

JOHANNA, *riant pour se rassurer.* — Vous ne croyez ni à Dieu ni au Diable.

LENI. — C'est vrai. Mais nous allons au temple et nous jurons sur la Bible. Je vous l'ai dit : cette

famille a perdu ses raisons de vivre, mais elle a
gardé ses bonnes habitudes. (*Elle regarde l'horloge.*) Trois heures dix, Werner : tu peux te lever.

SCÈNE II

LES MÊMES, LE PÈRE

> *Au même instant le Père entre par la
> porte-fenêtre. Werner entend la porte
> s'ouvrir et fait demi-tour. Johanna hésite
> à se lever ; finalement, elle va s'y
> résoudre, de mauvaise grâce.*
> *Mais le Père traverse la pièce d'un pas
> vif et l'oblige à se rasseoir en lui mettant
> les mains sur les épaules.*

Le Père. — Je vous en prie, mon enfant. (*Elle
se rassied, il s'incline, lui baise la main, se
redresse assez brusquement, regarde Werner et
Leni.*) En somme, je n'ai rien à vous apprendre ?
Tant mieux ! Entrons dans le vif du sujet. Et sans
cérémonies, n'est-ce pas ? (*Un bref silence.*) Donc,
je suis condamné. (*Werner lui prend le bras. Le
Père se dégage presque brutalement.*) J'ai dit :
pas de cérémonies. (*Werner, blessé, se détourne et
se rassied. Un temps. Il les regarde tous les trois.
D'une voix un peu rauque.*) Comme vous y croyez,
vous, à ma mort ! (*Sans les quitter des yeux,
comme pour se persuader.*) Je vais crever. Je vais
crever. C'est l'évidence. (*Il se reprend. Presque
enjoué.*) Mes enfants, la Nature me joue le tour

le plus ignoble. Je vaux ce que je vaux, mais ce corps n'a jamais incommodé personne. Dans six mois, j'aurai tous les inconvénients d'un cadavre sans en avoir les avantages. (*Sur un geste de Werner, en riant.*) Assieds-toi : je m'en irai décemment.

Leni, *intéressée et courtoise.* — Vous allez...

Le Père. — Crois-tu que je tolérerai l'extravagance de quelques cellules, moi qui fais flotter l'acier sur les mers ? (*Un bref silence.*) Six mois c'est plus qu'il n'en faut pour mettre mes affaires en ordre.

Werner. — Et après ces six mois ?

Le Père. — Après ? Que veux-tu qu'il y ait : rien.

Leni. — Rien du tout ?

Le Père. — Une mort industrielle : la Nature pour la dernière fois rectifiée.

Werner, *la gorge serrée.* — Rectifiée par qui ?

Le Père. — Par toi, si tu en es capable. (*Werner sursaute, le Père rit.*) Allons, je me charge de tout : vous n'aurez que le souci des obsèques. (*Un silence.*) Assez là-dessus. (*Un long silence. A Johanna, aimablement.*) Mon enfant, je vous demande encore un peu de patience. (*A Leni et Werner, changeant de ton.*) Vous prêterez serment l'un après l'autre.

Johanna, *inquiète.* — Que de cérémonies ! Et vous disiez que vous n'en vouliez pas. Qu'y a-t-il à jurer ?

Le Père, *bonhomme.* — Peu de chose, ma bru ; de toute façon, les parentes par alliance sont dispensées du serment. (*Il se tourne vers son fils avec une solennité dont on ne sait si elle est ironique*

ou sincère.) Werner, lève-toi. Mon fils, tu étais
avocat. Lorsque Frantz est mort, je t'ai appelé à
mon aide et tu as quitté le Barreau sans une hésitation. Cela vaut une récompense : tu seras le
maître dans cette maison et le chef de l'entreprise.
(*A Johanna.*) Rien d'inquiétant comme vous le
voyez : j'en fais un roi de ce monde. (*Johanna se
tait.*) Pas d'accord ?

JOHANNA. — Ce n'est pas à moi de vous
répondre.

LE PÈRE. — Werner ! (*Impatienté.*) Tu refuses ?

WERNER, *sombre et troublé.* — Je ferai ce que
vous voudrez.

LE PÈRE. — Cela va de soi. (*Il le regarde.*) Mais
tu répugnes à le faire ?

WERNER. — Oui.

LE PÈRE. — La plus grande entreprise de cons-
tructions navales ! On te la donne et cela te navre.
Pourquoi ?

WERNER. — Je... mettons que je n'en sois pas
digne.

LE PÈRE. — C'est fort probable. Mais je n'y
peux rien : tu es mon seul héritier mâle.

WERNER. — Frantz avait toutes les qualités
requises.

LE PÈRE. — Sauf une, puisqu'il est mort.

WERNER. — Figurez-vous que j'étais un bon
avocat. Et que je me résignerai mal à faire un
mauvais chef.

LE PÈRE. — Tu ne seras peut-être pas si mauvais.

WERNER. — Quand je regarde un homme dans
les yeux, je deviens incapable de lui donner des
ordres.

Le Père. — Pourquoi ?

Werner. — Je sens qu'il me vaut.

Le Père. — Regarde au-dessus des yeux. (*Se touchant le front.*) Là, par exemple : il n'y a que de l'os.

Werner. — Il faudrait avoir votre orgueil.

Le Père. — Tu ne l'as pas ?

Werner. — D'où l'aurais-je tiré ? Pour façonner Frantz à votre image, vous n'avez rien épargné. Est-ce ma faute si vous ne m'avez enseigné que l'obéissance passive ?

Le Père. — C'est la même chose.

Werner. — Quoi ? Qu'est-ce qui est la même chose ?

Le Père. — Obéir et commander : dans les deux cas tu transmets les ordres que tu as reçus.

Werner. — Vous en recevez ?

Le Père. — Il y a très peu de temps que je n'en reçois plus.

Werner. — Qui vous en donnait ?

Le Père. — Je ne sais pas. Moi, peut-être. (*Souriant.*) Je te donne la recette : si tu veux commander, prends-toi pour un autre.

Werner. — Je ne me prends pour personne.

Le Père. — Attends que je meure : au bout d'une semaine tu te prendras pour moi.

Werner. — Décider ! Décider ! Prendre tout sur soi. Seul. Au nom de cent mille hommes. Et vous avez pu vivre !

Le Père. — Il y a beau temps que je ne décide plus rien. Je signe le courrier. L'année prochaine, c'est toi qui le signeras.

Werner. — Vous ne faites rien d'autre ?

Le Père. — Rien depuis près de dix ans.

WERNER. — Qu'y a-t-il besoin de vous ? N'importe qui suffirait ?

LE PÈRE. — N'importe qui.

WERNER. — Moi, par exemple ?

LE PÈRE. — Par exemple.

WERNER. — Tout n'est pas parfait : cependant, il y a tant de rouages. Si l'un d'eux venait à grincer...

LE PÈRE. — Pour les rajustements, Gelber sera là. Un homme remarquable, tu sais. Et qui est chez nous depuis vingt-cinq ans.

WERNER. — Somme toute, j'ai de la chance. C'est lui qui commandera.

LE PÈRE. — Gelber ? Tu es fou ! C'est ton employé : tu le paies pour qu'il te fasse connaître les ordres que tu dois donner.

WERNER, *un temps*. — Oh, père, pas une fois dans votre vie, vous ne m'aurez fait confiance. Vous me jetez à la tête de l'entreprise parce que je suis votre seul héritier mâle, mais vous avez eu d'abord la précaution de me transformer en pot de fleurs.

LE PÈRE, *riant tristement*. — Un pot de fleurs ! Et moi ? Que suis-je ? Un chapeau au bout d'un mât. (*D'un air triste et doux, presque sénile.*) La plus grande entreprise d'Europe... C'est toute une organisation, n'est-ce pas, toute une organisation...

WERNER. — Parfait. Si je trouve le temps long, je relirai mes plaidoiries. Et puis nous voyagerons.

LE PÈRE. — Non.

WERNER, *étonné*. — C'est ce que je peux faire de plus discret.

LE PÈRE, *impérieux et cassant*. — Hors de question. (*Il regarde Werner et Leni.*) A présent,

écoutez-moi. L'héritage reste indivis. Interdiction
formelle de vendre ou de céder vos parts à qui
que ce soit. Interdiction de vendre ou de louer
cette maison. Interdiction de la quitter : vous y
vivrez jusqu'à la mort. Jurez. (*A Leni.*) Commence.

Leni, *souriante.* — Honnêtement, je vous rappelle que les serments ne m'engagent pas.

Le Père, *souriant aussi.* — Va, va, Leni, je me
fie à toi : donne l'exemple à ton frère.

Leni, *s'approche de la Bible et tend la main.* —
Je... (*Elle lutte contre le fou rire.*) Oh ! et puis,
tant pis : vous m'excuserez, père, mais j'ai le fou
rire. (*A Johanna, en aparté.*) Comme chaque fois.

Le Père, *bonhomme.* — Ris, mon enfant : je
ne te demande que de jurer.

Leni, *souriant.* — Je jure sur la Sainte Bible
d'obéir à vos dernières volontés. (*Le père la
regarde en riant. A Werner.*) A toi, chef de
famille!

> *Werner a l'air absent.*

Le Père. — Eh bien, Werner ?

> *Werner lève brusquement la tête et
> regarde son père d'un air traqué.*

Leni, *sérieusement.* — Délivre-nous, mon frère :
jure et tout sera fini.

> *Werner se tourne vers la Bible.*

Johanna, *d'une voix courtoise et tranquille.* —
Un instant, s'il vous plaît. (*Le Père la regarde en
feignant la stupeur pour l'intimider ; elle lui rend
son regard sans s'émouvoir.*) Le serment de Leni,
c'était une farce : tout le monde riait ; quand
vient le tour de Werner, personne ne rit plus.
Pourquoi ?

LENI. — Parce que votre mari prend tout au sérieux.

JOHANNA. — Une raison de plus pour rire. (*Un temps.*) Vous le guettiez, Leni.

LE PÈRE, *avec autorité.* — Johanna...

JOHANNA. — Vous aussi, père, vous le guettiez.

LENI. — Donc vous me guettiez aussi.

JOHANNA. — Père, je souhaite que nous nous expliquions franchement.

LE PÈRE, *amusé.* — Vous et moi ?

JOHANNA. — Vous et moi. (*Le Père sourit. Johanna prend la Bible et la transporte avec effort sur un meuble plus éloigné.*) D'abord, causer ; ensuite, jure qui voudra.

LENI. — Werner ! Tu laisseras ta femme te défendre ?

WERNER. — Est-ce qu'on m'attaque ?

JOHANNA, *au Père.* — Je voudrais savoir pourquoi vous disposez de ma vie ?

LE PÈRE, *désignant Werner.* — Je dispose de la sienne parce qu'elle m'appartient, mais je suis sans pouvoir sur la vôtre.

JOHANNA, *souriant.* — Croyez-vous que nous avons deux vies ? Vous êtes marié, pourtant. Aimiez-vous leur mère ?

LE PÈRE. — Comme il faut.

JOHANNA, *souriant.* — Je vois. Elle en est morte. Nous, père, nous nous aimons plus qu'il ne faut. Tout ce qui nous concernait, nous en décidions ensemble. (*Un temps.*) S'il jure sous la contrainte, s'il s'enferme dans cette maison pour rester fidèle à son serment, il aura décidé sans moi et contre moi ; vous nous séparez pour toujours.

LE PÈRE, *avec un sourire*. — Notre maison ne
vous plaît pas ?

JOHANNA. — Pas du tout.

Un silence.

LE PÈRE. — De quoi vous plaignez-vous, ma
bru ?

JOHANNA. — J'ai épousé un avocat de Hambourg qui ne possédait que son talent. Trois ans
plus tard, je me retrouve dans la solitude de cette
forteresse, mariée à un constructeur de bateaux.

LE PÈRE. — Est-ce un sort si misérable ?

JOHANNA. — Pour moi, oui. J'aimais Werner
pour son indépendance et vous savez bien qu'il
l'a perdue.

LE PÈRE. — Qui la lui a prise ?

JOHANNA. — Vous.

LE PÈRE. — Il y a dix-huit mois, vous avez
décidé ensemble de venir vous installer ici.

JOHANNA. — Vous nous l'aviez demandé.

LE PÈRE. — Eh bien, si faute il y a, vous êtes
complice.

JOHANNA. — Je n'ai pas voulu lui donner à
choisir entre vous et moi.

LE PÈRE. — Vous avez eu tort.

LENI, *aimablement*. — C'est vous qu'il aurait
choisi.

JOHANNA. — Une chance sur deux. Cent chances
sur cent pour qu'il déteste son choix.

LE PÈRE. — Pourquoi ?

JOHANNA. — Parce qu'il vous aime. (*Le Père
hausse les épaules d'un air maussade.*) Savez-vous
ce que c'est qu'un amour sans espoir ?

> *Le Père change de visage. Leni s'en
> aperçoit.*

LENI, *vivement*. — Et vous, Johanna, le savez-vous ?

JOHANNA, *froidement*. — Non. (*Un temps.*) Werner le sait, lui.

> *Werner s'est levé ; il marche vers la porte-fenêtre.*

LE PÈRE, *à Werner*. — Où vas-tu ?

WERNER. — Je me retire. Vous serez plus à l'aise.

JOHANNA. — Werner ! C'est pour *nous* que je me bats.

WERNER. — Pour nous ? (*Très bref.*) Chez les Gerlach, les femmes se taisent.

> *Il va pour sortir.*

LE PÈRE, *doux et impérieux*. — Werner ! (*Werner s'arrête net.*) Reviens t'asseoir.

> *Werner revient lentement à sa place et s'assied en leur tournant le dos et en enfouissant sa tête dans ses mains pour marquer qu'il refuse de prendre part à la conversation.*

WERNER. — A Johanna !

LE PÈRE. — Bon ! Eh bien, ma bru ?

JOHANNA, *regard inquiet vers Werner*. — Remettons cet entretien. Je suis très fatiguée.

LE PÈRE. — Non, mon enfant ; vous l'avez commencé : il faut le terminer. (*Un temps. Johanna, désemparée, regarde Werner en silence.*) Dois-je comprendre que vous refusez d'habiter ici après ma mort ?

JOHANNA, *presque suppliante*. — Werner ! (*Silence de Werner. Elle change brusquement d'attitude.*) Oui, père. C'est ce que je veux dire.

LE PÈRE. — Où logerez-vous ?

JOHANNA. — Dans notre ancien appartement.

LE PÈRE. — Vous retournerez à Hambourg ?

JOHANNA. — Nous y retournerons.

LENI. — Si Werner le veut.

JOHANNA. — Il le voudra.

LE PÈRE. — Et l'Entreprise ? Vous acceptez qu'il en soit le chef ?

JOHANNA. — Oui, si c'est votre bon plaisir et si Werner a du goût pour jouer les patrons de paille.

LE PÈRE, *comme s'il réfléchissait.* — Habiter à Hambourg...

JOHANNA, *avec espoir.* — Nous ne vous demandons rien d'autre. Est-ce que vous ne nous ferez pas cette unique concession ?

LE PÈRE, *aimable, mais définitif.* — Non. (*Un temps.*) Mon fils demeurera ici pour y vivre et pour y mourir comme je fais et comme ont fait mon père et mon grand-père.

JOHANNA. — Pourquoi ?

LE PÈRE. — Pourquoi pas ?

JOHANNA. — La maison réclame des habitants ?

LE PÈRE. — Oui.

JOHANNA, *brève violence.* — Alors, qu'elle croule !

Leni éclate de rire.

LENI, *courtoisement.* — Voulez-vous que j'y mette le feu ? Dans mon enfance, c'était un de mes rêves.

LE PÈRE, *regarde autour de lui, amusé.* — Pauvre . demeure : est-ce qu'elle vaut tant de haine ?... C'est à Werner qu'elle fait horreur ?

JOHANNA. — A Werner et à moi. Que c'est laid !

Leni. — Nous le savons.

Johanna. — Nous sommes quatre ; à la fin de
l'année nous serons trois. Est-ce qu'il nous faut
trente-deux pièces encombrées ? Quand Werner
est aux chantiers, j'ai peur.

Le Père. — Et voilà pourquoi vous nous quitte-
riez ? Ce ne sont pas des raisons sérieuses.

Johanna. — Non.

Le Père. — Il y en a d'autres ?

Johanna. — Oui.

Le Père. — Voyons cela.

Werner, *dans un cri.* — Johanna, je te
défends...

Johanna. — Eh bien, parle toi-même !

Werner. — A quoi bon ? Tu sais bien que je
lui obéirai !

Johanna. — Pourquoi ?

Werner. — C'est le père. Ah ! finissons-en.

Il se lève.

Johanna, *se plaçant devant lui.* — Non, Werner, non !

Le Père. — Il a raison, ma bru. Finissons-en.
Une famille, c'est une maison. Je vous demande à
vous d'habiter cette maison parce que vous êtes
entrée dans notre famille.

Johanna, *riant.* — La famille a bon dos et ce
n'est pas à elle que vous nous sacrifiez.

Le Père. — A qui donc, alors ?

Werner. — Johanna !

Johanna. — A votre fils aîné.

Un long silence.

Leni, *calmement.* — Frantz est mort en Argentine, il y a près de quatre ans. (*Johanna lui rit
au nez.*) Nous avons reçu le certificat de décès

en 56 : allez à la mairie d'Altona, on vous l'y montrera.

JOHANNA. — Mort ? Je veux bien : comment appeler la vie qu'il mène ? Ce qui est sûr, mort ou vif, c'est qu'il habite ici.

LENI. — Non !

JOHANNA, *geste vers la porte du premier étage.* — Là-haut. Derrière cette porte.

LENI. — Quelle folie ! Qui vous l'a racontée ?

> *Un temps. Werner se lève tranquille-*
> *ment. Dès qu'il s'agit de son frère, ses*
> *yeux brillent, il reprend de l'assurance.*

WERNER. — Qui veux-tu que ce soit ? Moi.

LENI. — Sur l'oreiller ?

JOHANNA. — Pourquoi pas ?

LENI. — Pfoui !

WERNER. — C'est ma femme. Elle a le droit de savoir ce que je sais.

LENI. — Le droit de l'amour ? Que vous êtes fades ? Je donnerais mon âme et ma peau pour l'homme que j'aimerais, mais je lui mentirais toute ma vie, s'il le fallait.

WERNER, *violent.* — Ecoutez cette aveugle qui parle des couleurs. A qui mentirais-tu ? A des perroquets ?

LE PÈRE, *impérieusement.* — Taisez-vous tous les trois. (*Il caresse les cheveux de Leni.*) Le crâne est dur, mais les cheveux sont doux. (*Elle se dégage brutalement, il reste aux aguets.*) Frantz vit là-haut depuis treize ans ; il ne quitte pas sa chambre et personne ne le voit sauf Leni qui prend soin de lui.

WERNER. — Et sauf vous.

LE PÈRE. — Sauf moi ? Qui t'a dit cela ? Leni ?

Et tu l'as crue ? Comme vous vous entendez, tous
les deux, quand il s'agit de te faire du mal. (*Un
temps.*) Il y a treize ans que je ne l'ai pas revu.

WERNER, *stupéfait*. — Mais pourquoi ?

LE PÈRE, *très naturellement*. — Parce qu'il ne
veut pas me recevoir.

WERNER, *désorienté*. — Ah, bon ! (*Un temps.*)
Bon !

> *Il revient à sa place.*

LE PÈRE, *à Johanna*. — Je vous remercie, mon
enfant. Dans la famille, voyez-vous, nous n'avons
aucune prévention contre la vérité. Mais chaque
fois que c'est possible, nous nous arrangeons pour
qu'elle soit dite par un étranger. (*Un temps.*)
Donc, Frantz vit là-haut, malade et seul. Qu'est-ce
que cela change ?

JOHANNA. — A peu près tout. (*Un temps.*)
Soyez content, père : une parente par alliance,
une étrangère, dira la vérité pour vous. Voilà ce
que je sais : un scandale éclate en 46 — je ne sais
lequel, puisque mon mari était encore prisonnier
en France. Il semble qu'il y ait eu des poursuites
judiciaires. Frantz disparaît, vous le dites en
Argentine ; en fait, il se cache ici. En 56, Gelber
fait un voyage éclair en Amérique du Sud et rapporte un certificat de décès. Quelque temps après,
vous donnez l'ordre à Werner de renoncer à sa
carrière et vous l'installez ici, à titre de futur
héritier. Je me trompe ?

LE PÈRE. — Non. Continuez.

JOHANNA. — Je n'ai plus rien à dire. Qui était
Frantz, ce qu'il a fait, ce qu'il est devenu, je
l'ignore. Voici ma seule certitude : si nous res-
tions, ce serait pour lui servir d'esclaves.

LENI, *violente.* — C'est faux ! Je lui suffis.

JOHANNA. — Il faut bien croire que non.

LENI. — Il ne veut voir que moi !

JOHANNA. — Cela se peut, mais le père le protège de loin et c'est nous, plus tard, qui devrons le protéger. Ou le surveiller. Peut-être serons-nous des esclaves-geôliers.

LENI, *outrée.* — Est-ce que je suis sa geôlière ?

JOHANNA. — Qu'en sais-je ? Si s'était vous — vous deux — qui l'aviez enfermé ?

> *Un silence. Leni tire une clé de sa poche.*

LENI. — Montez l'escalier et frappez. S'il n'ouvre pas, voici la clé.

JOHANNA, *prenant la clé.* — Merci. (*Elle regarde Werner.*) Que dois-je faire, Werner ?

WERNER. — Ce que tu veux. D'une manière ou d'une autre, tu verras que c'est un attrape-nigaud...

> *Johanna hésite puis gravit lentement l'escalier. Elle frappe à la porte. Une fois, deux fois. Une sorte de furie nerveuse la prend : grêle de coups contre la porte. Elle se retourne vers la salle et se dispose à descendre.*

LENI, *tranquillement.* — Vous avez la clé. (*Un temps. Johanna hésite, elle a peur, Werner est anxieux et agité. Johanna se maîtrise, introduit la clé dans la serrure et tente vainement d'ouvrir bien que la clé tourne.*) Eh bien ?

JOHANNA. — Il y a un verrou intérieur. On a dû le tirer.

> *Elle commence à redescendre.*

LENI. — Qui l'a tiré ? Moi ?

JOHANNA. — Il y a peut-être une autre porte.

LENI. — Vous savez bien que non. Ce pavillon est isolé. Si quelqu'un a mis le verrou, ce ne peut être que Frantz. (*Johanna est arrivée en bas de l'escalier.*) Alors ? Nous le séquestrons, le pauvre ?

JOHANNA. — Il y a bien des façons de séquestrer un homme. La meilleure est de s'arranger pour qu'il se séquestre lui-même.

LENI. — Comment fait-on ?

JOHANNA. — On lui ment.

> *Elle regarde Leni qui semble décon-
> certée.*

LE PÈRE, *à Werner, vivement.* — Tu as plaidé dans des affaires de ce genre ?

WERNER. — Quelles affaires ?

LE PÈRE. — Séquestration.

WERNER, *la gorge serrée.* — Une fois.

LE PÈRE. — Bien. Suppose qu'on perquisitionne ici : le parquet se saisira de l'affaire, n'est-ce pas ?

WERNER, *pris au piège.* — Pourquoi perquisitionnerait-on ? En treize ans cela ne s'est jamais produit.

LE PÈRE. — J'étais là.

> *Un silence.*

LENI, *à Johanna.* — Et puis, je conduis trop vite, vous me l'avez dit. Je peux faire la rencontre d'un arbre. Que deviendrait Frantz ?

JOHANNA. — S'il a sa raison, il appelle les domestiques.

LENI. — Il a sa raison, mais il ne les appellera pas. (*Un temps.*) On apprendra la mort de mon

frère par le nez ! (*Un temps.*) Ils enfonceront la
porte et le trouveront sur le parquet, au milieu
des coquilles.

JOHANNA. — Quelles coquilles ?

LENI. — Il aime les huîtres.

LE PÈRE, *à Johanna, amicalement.* — Ecoutez-
la, ma bru. S'il meurt, c'est le scandale du siècle.
(*Elle se tait.*) Le scandale du siècle, Johanna...

JOHANNA, *durement.* — Que vous importe ? Vous
serez sous terre.

LE PÈRE, *souriant.* — Moi, oui. Pas vous.
Venons à cette affaire de 46. Est-ce qu'il y a prescription ? Réponds ! C'est ton métier.

WERNER. — Je ne connais pas le délit.

LE PÈRE. — Au mieux : coups et blessures ; au
pis : tentative de meurtre.

WERNER, *gorge nouée.* — Pas de prescription.

LE PÈRE. — Eh bien, tu sais ce qui nous attend :
complicité dans une tentative de meurtre, faux et
usage de faux, séquestration.

WERNER. — Un faux ? Quel faux ?

LE PÈRE, *riant.* — Le certificat de décès,
voyons ! Il m'a coûté assez cher. (*Un temps.*)
Qu'en dis-tu, l'avocat ? C'est la cour d'assises ?

Werner se tait.

JOHANNA. — Werner, le tour est joué. A nous
de choisir : nous serons les domestiques du fou
qu'ils te préfèrent ou nous nous assoirons sur le
banc des accusés. Quel est ton choix ? Le mien est
fait : la cour d'assises. Mieux vaut la prison à
terme que le bagne à perpétuité. (*Un temps.*)
Eh bien ?

*Werner se tait. Elle fait un geste de
découragement.*

LE PÈRE, *chaleureusement*. — Mes enfants, je
tombe des nues. Un chantage ! Des pièges ! Tout
sonne faux ! Tout est forcé. Mon fils, je ne te
demande qu'un peu de pitié pour ton frère. Il y
a des circonstances que Leni ne peut affronter
seule. Pour le reste vous serez libres comme l'air.
Vous verrez : tout finira bien. Frantz ne vivra pas
très longtemps, j'en ai peur : une nuit, vous l'en-
sevelirez dans le parc ; avec lui disparaîtra le dernier des *vrais* von Gerlach... (*Geste de Werner.*)
... je veux dire le dernier monstre. Vous deux
vous êtes sains et normaux. Vous aurez des
enfants normaux qui habiteront où ils voudront.
Restez, Johanna ! pour les fils de Werner. Ils héri-
teront de l'Entreprise : c'est une puissance fabuleuse et vous n'avez pas le droit de les en priver.

WERNER, *sursautant, les yeux durs et bril-
lants*. — Hein ? (*Tout le monde le regarde.*) Vous
avez bien dit : pour les fils de Werner ? (*Le Père
étonné fait un signe affirmatif. Triomphant.*) La
voilà, Johanna, la voilà la fausse manœuvre. Werner et ses enfants, père, vous vous en foutez. Vous
vous en foutez ! Vous vous en foutez ! (*Johanna
se rapproche de lui. Un temps.*) Même si vous
viviez assez longtemps pour voir mon premier fils,
il vous répugnerait parce que ce serait la chair de
ma chair et que je vous ai répugné dans ma chair
du jour où je suis né ! (*A Johanna.*) Pauvre père !
Quel gâchis ! Les enfants de Frantz, il les aurait
adorés.

JOHANNA, *impérieusement*. — Arrête ! Tu t'écou-
tes parler. Nous sommes perdus si tu te prends en
pitié.

WERNER. — Au contraire : je me délivre.

Qu'est-ce que tu veux ? Que je les envoie promener ?

JOHANNA. — Oui.

WERNER, *riant*. — A la bonne heure.

JOHANNA. — Dis-leur *non*. Sans cris, sans rire. Tout simplement : non.

> *Werner se tourne vers le Père et Leni.*
> *Ils le regardent en silence.*

WERNER. — Ils me regardent.

JOHANNA. — Eh bien ? (*Werner hausse les épaules et va se rasseoir. Avec une profonde lassitude.*) Werner !

> *Il ne la regarde plus. Un long silence.*

LE PÈRE, *discrètement triomphant*. — Eh bien, ma bru ?

JOHANNA. — Il n'a pas juré.

LE PÈRE. — Il y vient. Les faibles servent les forts : c'est la loi.

JOHANNA, *blessée*. — Qui est fort, selon vous ? Le demi-fou, là-haut, plus désarmé qu'un nourrisson ou mon mari que vous avez abandonné et qui s'est tiré d'affaire seul ?

LE PÈRE. — Werner est faible, Frantz est fort : personne n'y peut rien.

JOHANNA. — Qu'est-ce qu'ils font sur terre, les forts ?

LE PÈRE. — En général, ils ne font rien.

JOHANNA. — Je vois.

LE PÈRE. — Ce sont des gens qui vivent par nature dans l'intimité de la mort. Ils tiennent le destin des autres dans leurs mains.

JOHANNA. — Frantz est ainsi ?

LE PÈRE. — Oui.

JOHANNA. — Qu'en savez-vous, après treize ans ?

LE PÈRE. — Nous sommes quatre ici dont il est le destin sans même y penser.

JOHANNA. — A quoi pense-t-il donc ?

LENI, *ironique et brutale, mais sincère.* — A des crabes.

JOHANNA, *ironique.* — Toute la journée ?

LENI. — C'est très absorbant.

JOHANNA. — Quelles vieilleries ! Elles ont l'âge de vos meubles. Voyons ! Vous n'y croyez pas.

LE PÈRE, *souriant.* — Je n'ai que six mois de vie, ma bru : c'est trop court pour croire à quoi que ce soit. (*Un temps.*) Werner y croit, lui.

WERNER. — Vous faites erreur, père. C'étaient vos idées, non les miennes et vous me les avez inculquées. Mais puisque vous les avez perdues en cours de route, vous ne trouverez pas mal que je m'en sois délivré. Je suis un homme comme les autres. Ni fort, ni faible ; n'importe qui. Je tâche de vivre. Et Frantz, je ne sais pas si je le reconnaîtrais encore, mais je suis sûr que c'est n'importe qui. (*Il montre les photos de Frantz à Johanna.*) Qu'a-t-il de plus que moi ? (*Il le regarde, fasciné.*) Il n'est même pas beau !

LENI, *ironique.* — Eh non ! Même pas !

WERNER, *toujours fasciné, faiblissant déjà.* — Et quand je serais né pour le servir ? Il y a des esclaves qui se révoltent. Mon frère ne sera pas mon destin.

LENI. — Tu préfères que ce soit ta femme ?

JOHANNA. — Vous me comptez parmi les forts ?

LENI. — Oui.

JOHANNA. — Quelle idée singulière ! Pourquoi donc ?

LENI. — Vous étiez actrice, n'est-ce pas ? Une star ?

JOHANNA. — En effet. Et puis, j'ai raté ma carrière. Après ?

LENI. — Après ? Eh bien, vous avez épousé Werner : depuis, vous ne faites rien et vous pensez à la mort.

JOHANNA. — Si vous cherchez à l'humilier, vous perdez votre peine. Quand il m'a rencontrée, j'avais quitté la scène et le plateau pour toujours, j'étais folle : il peut être fier de m'avoir sauvée.

LENI. — Je parie qu'il ne l'est pas.

JOHANNA, *à Werner.* — A toi de parler.

> *Un silence. Werner ne répond pas.*

LENI. — Comme vous l'embarrassez, le pauvre. (*Un temps.*) Johanna, l'auriez-vous choisi sans votre échec ? Il y a des mariages qui sont des enterrements.

> *Johanna veut répondre. Le Père l'interrompt.*

LE PÈRE. — Leni ! (*Il lui caresse la tête, elle se dérobe avec colère.*) Tu te surpasses, ma fille. Si j'étais vaniteux, je croirais que ma mort t'exaspère.

LENI, *vivement.* — N'en doutez pas, mon père. Vous voyez bien qu'elle compliquera le service.

LE PÈRE, *se mettant à rire, à Johanna.* — N'en veuillez pas à Leni, mon enfant. Elle veut dire que nous sommes de la même espèce : vous, Frantz et moi. (*Un temps.*) Vous me plaisez,

Johanna. Parfois, il m'a semblé que vous me pleureriez. Vous serez bien la seule.

Il lui sourit.

JOHANNA, *brusquement*. — Si vous avez encore des soucis de vivant et si j'ai la chance de vous plaire, comment osez-vous humilier mon mari devant moi ? (*Le Père hoche la tête sans répondre.*) Etes-vous de ce côté-ci de la mort ?

LE PÈRE. — De ce côté, de l'autre : cela ne fait plus de différence. Six mois : je ne suis pas un vieillard d'avenir. (*Il regarde dans le vide et parle pour lui-même.*) L'Entreprise croîtra sans cesse, les investissements privés ne suffiront plus, il faudra que l'Etat y mette son nez ; Frantz restera là-haut dix ans, vingt ans. Il souffrira...

LENI, *péremptoire*. — Il ne souffre pas.

LE PÈRE, *sans l'entendre*. — Ma mort, à présent, c'est ma vie qui continue sans que je sois dedans. (*Un silence. Il s'est assis, tassé, le regard fixe.*) Il aura des cheveux gris... la mauvaise graisse des prisonniers...

LENI, *violemment*. — Taisez-vous !

LE PÈRE, *sans l'entendre*. — C'est insupportable.

Il a l'air de souffrir.

WERNER, *lentement*. — Serez-vous moins malheureux si nous restons ici ?

JOHANNA, *vite*. — Prends garde !

WERNER. — A quoi ? C'est mon père, je ne veux pas qu'il souffre.

JOHANNA. — Il souffre pour l'autre.

WERNER. — Tant pis.

Il va prendre la Bible et la rapporte sur la table où Leni l'avait posée.

JOHANNA, *même jeu.* — Il te joue la comédie.

WERNER, *mauvais, ton plein de sous-entendus.* — Et toi ? Tu ne me la joues pas ? (*Au Père.*) Répondez... Serez-vous moins malheureux...

LE PÈRE. — Je ne sais pas.

WERNER, *au Père.* — Nous verrons bien.

> *Un temps. Ni le Père ni Leni ne font un geste. Ils attendent, aux aguets.*

JOHANNA. — Une question. Une seule question et tu feras ce que tu voudras.

> *Werner la regarde, d'un air sombre et buté.*

LE PÈRE. — Attends un peu, Werner. (*Werner s'écarte de la Bible avec un grognement qui peut passer pour un acquiescement.*) Quelle question, ma bru ?

JOHANNA. — Pourquoi Frantz s'est-il séquestré ?

LE PÈRE. — Cela fait beaucoup de questions en une.

JOHANNA. — Racontez-moi ce qui s'est passé.

LE PÈRE, *ironie légère.* — Eh bien, il y a eu la guerre.

JOHANNA. — Oui, pour tout le monde. Est-ce que les autres se cachent ?

LE PÈRE. — Ceux qui se cachent, vous ne les voyez pas.

JOHANNA. — Donc, il s'est battu ?

LE PÈRE. — Jusqu'au bout.

JOHANNA. — Sur quel front ?

LE PÈRE. — En Russie.

JOHANNA. — Quand est-il revenu ?

LE PÈRE. — Pendant l'automne de 46.

JOHANNA. — C'est tard. Pourquoi ?

LE PÈRE. — Son régiment s'est fait anéantir.

Frantz est revenu à pied, en se cachant, à travers
la Pologne et l'Allemagne occupée. Un jour on a
sonné. (*Sonnerie lointaine et comme effacée.*)
C'était lui.

> *Frantz apparaît au fond, derrière son
> père, dans une zone de pénombre. Il est
> en civil, il a l'air jeune : vingt-trois ou
> vingt-quatre ans.*
>
> *Johanna, Werner et Leni, dans ce
> flash-back et dans le suivant, ne verront
> pas le personnage évoqué. Seuls ceux qui
> font l'évocation — le Père dans ces deux
> premières scènes-souvenirs, Leni et le
> Père dans la troisième — se tournent vers
> ceux qu'ils évoquent alors qu'ils ont à
> leur parler. Le ton et le jeu des per-
> sonnages qui jouent une scène-souvenir
> doivent comporter une sorte de recul, de
> « distanciation » qui, même dans la vio-
> lence, distingue le passé du présent. Pour
> le moment personne ne voit Frantz, pas
> même le Père.*
>
> *Frantz porte une bouteille de cham-
> pagne débouchée dans la main droite ;
> on ne la distinguera que lorsqu'il aura
> l'occasion de boire. Une coupe à cham-
> pagne, posée près de lui sur une console,
> est dissimulée par des bibelots. Il la
> prendra lorsqu'il devra boire.*

JOHANNA. — Il s'est enfermé tout de suite ?

LE PÈRE. — Dans la maison, tout de suite ;
dans sa chambre, un an plus tard.

JOHANNA. — Pendant cette année-là, vous l'avez
vu tous les jours ?

LE PÈRE. — A peu près.

JOHANNA. — Que faisait-il ?

LE PÈRE. — Il buvait.

JOHANNA. — Et qu'est-ce qu'il disait ?

FRANTZ, *d'une voix lointaine et mécanique.* — Bonjour. Bonsoir. Oui. Non.

JOHANNA. — Rien de plus.

LE PÈRE. — Rien, sauf un jour. Un déluge de mots. Je n'y ai rien compris. (*Rire amer.*) J'étais dans la bibliothèque et j'écoutais la radio.

> *Crépitements de radio, indicatif répété.*
> *Tous ces bruits semblent ouatés.*

VOIX D'UN SPEAKER. — Chers auditeurs, voici nos informations : A Nuremberg, le tribunal des Nations condamne le maréchal Gœring...

> *Frantz va éteindre le poste. Il reste*
> *dans la zone de pénombre quand il doit*
> *se déplacer.*

LE PÈRE, *se retournant en sursaut.* — Qu'est-ce que tu fais ? (*Frantz le regarde avec des yeux morts.*) Je veux connaître la sentence.

FRANTZ, *d'un bout à l'autre de la scène, voix cynique et sombre.* — Pendu jusqu'à ce que mort s'ensuive.

> *Il boit.*

LE PÈRE. — Qu'en sais-tu ? (*Silence de Frantz. Le Père se retourne vers Johanna.*) Vous ne lisiez pas les journaux de l'époque ?

JOHANNA. — Guère. J'avais douze ans.

LE PÈRE. — Ils étaient tous aux mains des Alliés. « Nous sommes allemands, donc nous sommes coupables; nous sommes coupables parce que nous sommes allemands. » Chaque jour, à chaque page. Quelle obsession ! (*A Frantz.*)

Quatre-vingts millions de criminels : quelle connerie ! Au pire, il y en a eu trois douzaines. Qu'on les pende, et qu'on nous réhabilite : ce sera la fin d'un cauchemar. (*Autoritaire.*) Fais-moi le plaisir de rallumer le poste. (*Frantz boit sans bouger. Sèchement.*) Tu bois trop. (*Frantz le regarde avec une telle dureté que le Père se tait, décontenancé. Un silence puis le Père reprend avec un désir passionné de comprendre.*) Qu'est-ce qu'on gagne à réduire un peuple au désespoir ? Qu'ai-je fait, moi, pour mériter le mépris de l'univers ? Mes opinions sont pourtant connues. Et toi, Frantz, toi qui t'es battu jusqu'au bout ? (*Frantz rit grossièrement.*) Tu es nazi ?

FRANTZ. — Foutre non !

LE PÈRE. — Alors, choisis : laisse condamner les responsables ou fais retomber leurs fautes sur l'Allemagne entière.

FRANTZ, *sans un geste, éclate d'un rire sauvage et sec.* — Ha ! (*Un temps.*) Ça revient au même.

LE PÈRE. — Es-tu fou ?

FRANTZ. — Il y a deux façons de détruire un peuple : on le condamne en bloc ou bien on le force à renier les chefs qu'il s'est donnés. La seconde est la pire.

LE PÈRE. — Je ne renie personne et les nazis ne sont pas mes chefs : je les ai subis.

FRANTZ. — Tu les as supportés.

LE PÈRE. — Que diable voulais-tu que je fasse ?

FRANTZ. — Rien.

LE PÈRE. — Quant à Gœring, je suis sa victime. Va te promener dans nos chantiers. Douze bombardements, plus un hangar debout : voilà comment il les a protégés.

FRANTZ, *brutalement*. — Je *suis* Gœring. S'ils le pendent, c'est moi le pendu.

LE PÈRE. — Gœring te répugnait !

FRANTZ. — J'ai obéi.

LE PÈRE. — A tes chefs militaires, oui.

FRANTZ. — A qui obéissaient-ils ? (*Riant*.) Hitler, nous le haïssions, d'autres l'aimaient : où est la différence ? Tu lui as fourni des bateaux de guerre et je lui ai fourni des cadavres. Dis, qu'aurions-nous fait de plus, si nous l'avions adoré ?

LE PÈRE. — Alors ? Tout le monde est coupable ?

FRANTZ. — Nom de Dieu, non ! Personne. Sauf les chiens couchants qui acceptent le jugement des vainqueurs. Beaux vainqueurs ! On les connaît : en 1918, c'étaient les mêmes, avec les mêmes hypocrites vertus. Qu'ont-ils fait de nous, depuis lors ? Qu'ont-ils fait d'eux ? Tais-toi : c'est aux vainqueurs de prendre l'histoire en charge. Ils l'ont prise et ils nous ont donné Hitler. Des juges? Ils n'ont jamais pillé, massacré, violé ? La bombe sur Hiroshima, est-ce Gœring qui l'a lancée ? S'ils font notre procès, qui fera le leur ? Ils parlent de nos crimes pour justifier celui qu'ils préparent en douce : l'extermination systématique du peuple allemand. (*Brisant la coupe contre la table*.) Tous innocents devant l'ennemi. Tous : vous, moi, Gœring et les autres.

LE PÈRE, *criant*. — Frantz ! (*La lumière baisse et s'éteint autour de Frantz ; il disparaît*.) Frantz ! (*Un bref silence. Il se tourne lentement vers Johanna et rit doucement*.) Je n'y ai rien compris. Et vous ?

JOHANNA. — Rien. Après ?

LE PÈRE. — C'est tout.

JOHANNA. — Il faudrait pourtant choisir : tous innocents ou tous coupables ?

LE PÈRE. — Il ne choisissait pas.

JOHANNA, *elle rêve un instant, puis.* — Cela n'a pas de sens.

LE PÈRE. — Peut-être que si... Je ne sais pas.

LENI, *vivement.* — Ne cherchez pas trop loin, Johanna. Gœring et l'aviation de guerre, mon frère s'en souciait d'autant moins qu'il servait dans l'infanterie. Pour lui, il y avait des coupables et des innocents, mais ce n'étaient pas les mêmes. (*Au Père, qui veut parler.*) Je sais : je le vois tous les jours. Les innocents avaient vingt ans, c'étaient les soldats ; les coupables en avaient cinquante, c'étaient leurs pères.

JOHANNA. — Je vois.

LE PÈRE, *il a perdu sa bonhomie détendue, quand il parle de Frantz il met de la passion dans sa voix.* — Vous ne voyez rien du tout : elle ment.

LENI. — Père ! Vous savez bien que Frantz vous déteste.

LE PÈRE, *avec force, à Johanna.* — Frantz m'a aimé plus que personne.

LENI. — Avant la guerre.

LE PÈRE. — Avant, après.

LENI. — Dans ce cas, pourquoi dites-vous : il m'a aimé ?

LE PÈRE, *interdit.* — Eh bien, Leni... Nous parlions du passé.

LENI. — Ne vous corrigez donc pas : vous avez livré votre pensée. (*Un temps.*) Mon frère s'est engagé à dix-huit ans. Si le père veut bien nous

dire pourquoi, vous comprendrez mieux l'histoire
de cette famille.

LE PÈRE. — Dis-le toi-même, Leni : je ne t'ôte-
rai pas ce plaisir.

WERNER, *s'efforçant au calme.* — Leni, je te
préviens : si tu mentionnes un seul fait qui ne
soit pas à l'honneur du père, je quitte cette pièce
à l'instant.

LENI. — Tu as si peur de me croire ?

WERNER. — On n'insultera pas mon père devant
moi.

LE PÈRE, *à Werner.* — Calme-toi, Werner : c'est
moi qui vais parler. Depuis le début de la guerre,
l'Etat nous passait des commandes. La flotte, c'est
nous qui l'avons faite. Au printemps 41, le gouvernement m'a fait savoir qu'il désirait m'acheter
certains terrains dont nous n'avions pas l'emploi.
La lande derrière la colline : tu la connais.

LENI. — Le gouvernement, c'était Himmler. Il
cherchait un emplacement pour un camp de
concentration.

                                  Un silence lourd.

JOHANNA. — Vous le saviez ?

LE PÈRE, *avec calme.* — Oui.

JOHANNA. — Et vous avez accepté ?

LE PÈRE, *sur le même ton.* — Oui. (*Un temps.*)
Frantz a découvert les travaux. On m'a rapporté
qu'il rôdait le long des barbelés.

JOHANNA. — Et puis ?

LE PÈRE. — Rien. Le silence. C'est lui qui l'a
rompu. Un jour de juin 41. (*Le Père se tourne
vers lui et le regarde attentivement tout en conti-
nuant la conversation avec Werner et Johanna.*)
J'ai vu tout de suite qu'il avait fait une gaffe. Cela

ne pouvait pas tomber plus mal : Gœbbels et
l'amiral Dœnitz se trouvaient à Hambourg et
devaient visiter mes nouvelles installations.

FRANTZ, *voix jeune et douce, affectueuse mais
inquiète.* — Père, je voudrais vous parler.

LE PÈRE, *le regardant.* — Tu as été là-bas ?

FRANTZ. — Oui. (*Avec horreur, brusquement.*)
Père, ce ne sont plus des hommes.

LE PÈRE. — Les gardiens ?

FRANTZ. — Les détenus. Je me dégoûte mais ce
sont eux qui me font horreur. Il y a leur crasse,
leur vermine, leurs plaies. (*Un temps.*) Ils ont
tout le temps l'air d'avoir peur.

LE PÈRE. — Ils sont ce qu'on a fait d'eux.

FRANTZ. — On ne ferait pas cela de moi.

LE PÈRE. — Non ?

FRANTZ. — Je tiendrais le coup.

LE PÈRE. — Qui te prouve qu'ils ne le tiennent
pas ?

FRANTZ. — Leurs yeux.

LE PÈRE. — Si tu étais à leur place, tu aurais
les mêmes.

FRANTZ. — Non. (*Avec une certitude farouche.*)
Non.

Le Père le regarde attentivement.

LE PÈRE. — Regarde-moi. (*Il lui a levé le men-
ton et plonge son regard dans ses yeux.*) D'où cela
te vient-il ?

FRANTZ. — Quoi ?

LE PÈRE. — La peur d'être enfermé.

FRANTZ. — Je n'en ai pas peur.

LE PÈRE. — Tu le souhaites ?

FRANTZ. — Je... Non.

LE PÈRE. — Je vois. (*Un temps.*) Ces terrains, je n'aurais pas dû les vendre ?

FRANTZ. — Si vous les avez vendus, c'est que vous ne pouviez pas agir autrement.

LE PÈRE. — Je le pouvais.

FRANTZ, *stupéfait*. — Vous pouviez refuser ?

LE PÈRE. — Certainement. (*Frantz a un mouvement violent.*) Eh bien quoi ? Tu n'as plus confiance en moi.

FRANTZ, *acte de foi, se dominant*. — Je sais que vous m'expliquerez.

LE PÈRE. — Qu'y a-t-il à expliquer ? Himmler a des prisonniers à caser. Si j'avais refusé mes terrains, il en aurait acheté d'autres.

FRANTZ. — A d'autres.

LE PÈRE. — Justement. Un peu plus à l'ouest, un peu plus à l'est, les mêmes prisonniers souffriraient sous les mêmes kapos et je me serais fait des ennemis au sein du gouvernement.

FRANTZ, *obstiné*. — Vous ne deviez pas vous mêler de cette affaire.

LE PÈRE. — Et pourquoi donc ?

FRANTZ. — Parce que vous êtes vous.

LE PÈRE. — Et pour te donner la joie pharisienne de t'en laver les mains, petit puritain.

FRANTZ. — Père, vous me faites peur : vous ne souffrez pas assez de la souffrance des autres.

LE PÈRE. — Je me permettrai d'en souffrir quand j'aurai les moyens de la supprimer.

FRANTZ. — Vous ne les aurez jamais.

LE PÈRE. — Alors, je n'en souffrirai pas : c'est du temps perdu. Est-ce que tu en souffres, toi ? Allons donc ! (*Un temps.*) Tu n'aimes pas ton prochain, Frantz, sinon tu n'oserais pas mépriser ces détenus.

FRANTZ, *blessé.* — Je ne les méprise pas.

LE PÈRE. — Tu les méprises. Parce qu'ils sont sales et parce qu'ils ont peur. (*Il se lève et marche vers Johanna.*) Il croyait encore à la dignité humaine.

JOHANNA. — Il avait tort ?

LE PÈRE. — Cela, ma bru, je n'en sais rien. Tout ce que je peux vous dire, c'est que les Gerlach sont des victimes de Luther : ce prophète nous a rendus fous d'orgueil. (*Il revient lentement à sa place première et montre Frantz à Johanna.*) Frantz se promenait sur les collines en discutant avec lui-même et, quand sa conscience avait dit oui, vous l'auriez coupé en morceaux sans le faire changer d'avis. J'étais comme lui, à son âge.

JOHANNA, *ironique.* — Vous aviez une conscience?

LE PÈRE. — Oui. Je l'ai perdue : par modestie. C'est un luxe de prince. Frantz pouvait se le permettre : quand on ne fait rien, on croit qu'on est responsable de tout. Moi, je travaillais. (*A Frantz.*) Qu'est-ce que tu veux que je te dise ? Que Hitler et Himmler sont des criminels ? Eh bien, voilà : je te le dis. (*Riant.*) Opinion strictement personnelle et parfaitement inutilisable.

FRANTZ. — Alors ? Nous sommes impuissants ?

LE PÈRE. — Oui, si nous choisissons l'impuissance. Tu ne peux rien pour les hommes si tu passes ton temps à les condamner devant le Tribunal de Dieu. (*Temps.*) Quatre-vingt mille travailleurs depuis mars. Je m'étends, je m'étends !

Mes chantiers poussent en une nuit. J'ai le plus formidable pouvoir.

FRANTZ. — Bien sûr : vous servez les nazis.

LE PÈRE. — Parce qu'ils me servent. Ces gens-là c'est la plèbe sur le trône. Mais ils font la guerre pour nous trouver des marchés et je n'irai pas me brouiller avec eux pour une affaire de terrains.

FRANTZ, *têtu*. — Vous ne deviez pas vous en mêler.

LE PÈRE. — Petit prince ! Petit prince ! Tu veux porter le monde sur tes épaules ? Le monde est lourd et tu ne le connais pas. Laisse. Occupe-toi de l'entreprise : aujourd'hui la mienne, demain la tienne ; mon corps et mon sang, ma puissance, ma force, ton avenir. Dans vingt ans tu seras le maître avec des bateaux sur toutes les mers, et qui donc se souviendra de Hitler ? (*Un temps.*) Tu es un abstrait.

FRANTZ. — Pas tant que vous le croyez.

LE PÈRE. — Ah ! (*Il le regarde attentivement.*) Qu'as-tu fait ? Du mal ?

FRANTZ, *fièrement*. — Non.

LE PÈRE. — Du bien ? (*Un long silence.*) Nom de Dieu ! (*Un temps.*) Alors ? C'est grave ?

FRANTZ. — Oui.

LE PÈRE. — Mon petit prince, ne crains rien, j'arrangerai cela.

FRANTZ. — Pas cette fois-ci.

LE PÈRE. — Cette fois comme les autres fois. (*Un temps.*) Eh bien ? (*Un temps.*) Tu veux que je t'interroge ? (*Il réfléchit.*) Cela concerne les nazis ? Bon. Le camp ? Bon. (*Illuminé.*) Le Polonais ! (*Il se lève et marche avec agitation. A Johanna.*) C'était un rabbin polonais : il s'était évadé la veille et le commandant du camp nous l'avait notifié. (*A Frantz.*) Où est-il ?

FRANTZ. — Dans ma chambre.

Un temps.

LE PÈRE. — Où l'as-tu trouvé, celui-là ?

FRANTZ. — Dans le parc : il ne se cachait même pas. Il s'est évadé par folie ; à présent, il a peur. S'ils mettent la main sur lui ?...

LE PÈRE. — Je sais. (*Un temps.*) Si personne ne l'a vu, l'affaire est réglée. Nous le ferons filer en camion sur Hambourg. (*Frantz reste tendu.*) On l'a vu ? Bien. Qui ?

FRANTZ. — Fritz.

LE PÈRE, *à Johanna, sur le ton de la conversation.* — C'était notre chauffeur, un vrai nazi.

FRANTZ. — Il a pris l'auto ce matin en disant qu'il allait au garage d'Altona. Il n'est pas encore revenu. (*Avec une pointe de fierté.*) Suis-je si abstrait ?

LE PÈRE, *souriant.* — Plus que jamais. (*D'une vois changée.*) Pourquoi l'as-tu mis dans ta chambre ? Pour me racheter ? (*Un silence.*) Réponds : c'est pour moi.

FRANTZ. — C'est pour nous. Vous, c'est moi.

LE PÈRE. — Oui. (*Un temps.*) Si Fritz t'a dénoncé...

FRANTZ, *enchaînant.* — Ils viendront. Je sais.

LE PÈRE. — Monte dans la chambre de Leni et tire le verrou. C'est un ordre. J'arrangerai tout. (*Frantz le regarde avec défiance.*) Quoi ?

FRANTZ. — Le prisonnier...

LE PÈRE. — J'ai dit : tout. Le prisonnier est sous mon toit. Va.

Frantz disparaît. Le Père se rassied.

JOHANNA. — Ils sont venus ?

LE PÈRE. — Quarante-cinq minutes plus tard.
>   *Un S.S. paraît au fond. Deux hommes*
>   *derrière lui, immobiles et muets.*

LE S.S. — Heil Hitler.

LE PÈRE, *dans le silence.* — Heil. Qui êtes-vous
et que voulez-vous ?

LE S.S. — Nous venons de trouver votre fils
dans sa chambre avec un détenu évadé qu'il y
cache depuis hier soir.

LE PÈRE. — Dans sa chambre ? (*A Johanna.*)
Il n'avait pas voulu s'enfermer chez Leni, le brave
gosse. Il avait pris tous les risques. Bon. Après ?

LE S.S. — Est-ce que vous avez compris ?

LE PÈRE. — Très bien : mon fils vient de commettre une grave étourderie.

LE S.S., *indignation stupéfaite.* — Une quoi ?
(*Un temps.*) Levez-vous quand je vous parle.

>   *Sonnerie de téléphone.*

LE PÈRE, *sans se lever.* — Non.

>   *Il décroche le récepteur et sans même*
>   *demander qui appelle, il le tend au S.S.*
>   *Celui-ci le lui arrache.*

LE S.S., *au téléphone.* — Allô ? Oh ! (*Claquement de talons.*) Oui. Oui. Oui. A vos ordres.
(*Il écoute et regarde le Père avec stupéfaction.*)
Bien. A vos ordres. (*Claquement de talons. Il rac-
croche.*)

LE PÈRE, *dur, sans sourire.* — Une étourderie,
n'est-ce pas ?

LE S.S. — Rien d'autre.

LE PÈRE. — Si vous aviez touché un seul cheveu
de sa tête...

LE S.S. — Il s'est jeté sur nous.

ACTE I, SCÈNE II

LE PÈRE, *surpris et inquiet*. — Mon fils ? (*Le S.S. fait un geste d'acquiescement.*) Et vous l'avez frappé ?

LE S.S. — Non. Je vous le jure. Maîtrisé...

LE PÈRE, *réfléchissant*. — Il s'est jeté sur vous ! Ce n'est pas sa manière, il a fallu que vous le provoquiez. Qu'avez-vous fait ? (*Silence du S.S.*) Le prisonnier ! (*Il se lève.*) Sous ses yeux ? Sous les yeux de mon fils ? (*Colère blanche, mais terrible.*) Il me semble que vous avez fait du zèle. Votre nom ?

LE S.S., *piteusement*. — Hermann Aldrich.

LE PÈRE. — Hermann Aldrich ! Je vous donne ma parole que vous vous rappellerez le 23 juin 1941 toute votre vie. Allez.

Le S.S. disparaît.

JOHANNA. — Il se l'est rappelé ?

LE PÈRE, *souriant*. — Je crois. Mais sa vie n'a pas été très longue.

JOHANNA. — Et Frantz ?

LE PÈRE. — Relâché sur l'heure. A la condition qu'il s'engage. L'hiver suivant, il était lieutenant sur le front russe. (*Un temps.*) Qu'y a-t-il ?

JOHANNA. — Je n'aime pas cette histoire.

LE PÈRE. — Je ne dis pas qu'elle soit aimable. (*Un temps.*) C'était en 41, ma bru.

JOHANNA, *sèchement*. — Alors ?

LE PÈRE. — Il fallait survivre.

JOHANNA. — Le Polonais n'a pas survécu.

LE PÈRE, *indifférent*. — Non. Ce n'est pas ma faute.

JOHANNA. — Je me le demande.

WERNER. — Johanna !

JOHANNA. — Vous disposiez de quarante-cinq

minutes. Qu'avez-vous fait pour sauver votre fils ?

LE PÈRE. — Vous le savez fort bien.

JOHANNA. — Gœbbels était à Hambourg et vous lui avez téléphoné.

LE PÈRE. — Oui.

JOHANNA. — Vous lui avez appris qu'un détenu s'était évadé et vous l'avez supplié de se montrer indulgent pour votre fils.

LE PÈRE. — J'ai demandé aussi qu'on épargnât la vie du prisonnier.

JOHANNA. — Cela va de soi. (*Un temps.*) Quand vous avez téléphoné à Gœbbels...

LE PÈRE. — Eh bien ?

JOHANNA. — Vous ne pouviez pas *savoir* que le chauffeur avait dénoncé Frantz.

LE PÈRE. — Allons donc ! Il nous espionnait sans cesse.

JOHANNA. — Oui, mais il se peut qu'il n'ait rien vu et qu'il ait pris l'auto pour un tout autre motif.

LE PÈRE. — Cela se peut.

JOHANNA. — Naturellement, vous ne lui avez rien demandé.

LE PÈRE. — A qui ?

JOHANNA. — A ce Fritz ? (*Le Père hausse les épaules.*) Où est-il à présent ?

LE PÈRE. — En Italie, sous une croix de bois.

JOHANNA, *un temps*. — Je vois. Eh bien ; nous n'en aurons jamais le cœur net. Si ce n'est pas Fritz qui a livré le prisonnier, il faut que ce soit vous.

WERNER, *avec violence*. — Je te défends...

LE PÈRE. — Ne crie pas tout le temps, Werner. (*Werner se tait.*) Vous avez raison, mon enfant.

(*Un temps.*) Quand j'ai pris l'appareil, je me suis dit, une chance sur deux !

Un temps.

JOHANNA. — Une chance sur deux de faire assassiner un Juif. (*Un temps.*) Cela ne vous empêche jamais de dormir ?

LE PÈRE, *tranquillement.* — Jamais.

WERNER, *au Père.* — Père, je vous approuve sans réserve. Toutes les vies se valent. Mais, s'il faut choisir, je pense que le fils passe d'abord.

JOHANNA, *doucement.* — Il ne s'agit pas de ce que tu penses, Werner, mais de ce que Frantz a pu penser. Qu'a-t-il pensé, Leni ?

LENI, *souriant.* — Vous connaissez pourtant les von Gerlach, Johanna.

JOHANNA. — Il s'est tu ?

LENI. — Il est parti sans avoir ouvert la bouche et ne nous a jamais écrit.

Un temps.

JOHANNA, *au Père.* — Vous lui aviez dit : j'arrangerai tout, et il vous avait fait confiance. Comme toujours.

LE PÈRE. — J'ai tenu parole : le prisonnier, j'avais obtenu qu'il ne soit pas puni. Pouvais-je m'imaginer qu'ils le tueraient devant mon fils ?

JOHANNA. — C'était en 41, père. En 41, il était prudent de tout imaginer. (*Elle s'approche des photos et les regarde. Un temps. Elle regarde toujours le portrait.*) C'était un petit puritain, une victime de Luther, qui voulait payer de son sang les terrains que vous aviez vendus. (*Elle se retourne vers le Père.*) Vous avez tout annulé. Il n'est resté qu'un jeu pour gosse de riches. Avec danger de mort, bien sûr : mais pour le parte-

naire... il a compris qu'on lui permettait tout
parce qu'il ne comptait pour rien.

LE PÈRE, *illuminé, la désignant.* — Voilà la
femme qu'il lui fallait.

> *Werner et Leni lui font face brusque-
> ment.*

WERNER, *furieux.* — Quoi ?

LENI. — Père, quel mauvais goût !

LE PÈRE, *aux deux autres.* — Elle a compris du
premier coup. (*A Johanna.*) N'est-ce pas ? J'aurais dû transiger pour deux ans de prison. Quelle
gaffe ! Tout valait mieux que l'impunité.

> *Un temps. Il rêve. Johanna regarde
> toujours les portraits. Werner se lève, la
> prend par les épaules et la retourne vers
> lui.*

JOHANNA, *froidement.* — Qu'est-ce qu'il y a ?

WERNER. — Ne t'attendris pas sur Frantz : ce
n'était pas un type à rester sur un échec.

JOHANNA. — Alors ?

WERNER, *désignant le portrait.* — Regarde !
Douze décorations.

JOHANNA. — Douze échecs de plus. Il courait
après la mort, pas de chance : elle courait plus
vite que lui. (*Au Père.*) Finissons : il s'est battu,
il est revenu en 46 et puis, un an plus tard, il y
a eu le scandale. Qu'est-ce que c'était ?

LE PÈRE. — Une espièglerie de notre Leni.

LENI, *modestement.* — Le père est trop bon.
J'ai fourni l'occasion. Rien de plus.

LE PÈRE. — Nous logions des officiers américains. Elle les enflammait et puis, s'ils brûlaient
bien, elle leur chuchotait à l'oreille : « Je suis
nazie », en les traitant de sales juifs.

LENI. — Pour les éteindre. C'était amusant,
non ?

JOHANNA. — Très amusant. Ils s'éteignaient ?

LE PÈRE. — Quelquefois. D'autres fois ils explo-
saient. Il y en a un qui a pris la chose fort mal.

LENI, *à Johanna.* — Un Américain, si ce n'est
pas un juif, c'est un antisémite, à moins qu'il ne
soit l'un et l'autre à la fois. Celui-là n'était pas
un juif : il s'est vexé.

JOHANNA. — Alors ?

LENI. — Il a voulu me violer, Frantz est venu
à mon secours, ils ont roulé par terre, le type
avait le dessus. J'ai pris une bouteille et je lui en
ai donné un bon coup.

JOHANNA. — Il en est mort ?

LE PÈRE, *très calme.* — Pensez-vous ! Son crâne
a cassé la bouteille. (*Un temps.*) Six semaines
d'hôpital. Naturellement, Frantz a tout pris sur
lui.

JOHANNA. — Le coup de bouteille aussi ?

LE PÈRE. — Tout. (*Deux officiers américains
paraissent au fond. Le Père se tourne vers eux.*)
Il s'agit d'une étourderie, passez-moi le mot :
d'une grave étourderie. (*Un temps.*) Je vous prie
de remercier le général Hopkins en mon nom.
Dites-lui que mon fils quittera l'Allemagne aussitôt qu'on lui aura donné ses visas.

JOHANNA. — Pour l'Argentine ?

LE PÈRE, *il se tourne vers elle pendant que les
Américains disparaissent.* — C'était la condition.

JOHANNA. — Je vois.

LE PÈRE, *très détendu.* — Les Américains ont
été vraiment très bien.

JOHANNA. — Comme Gœbbels en 41.

LE PÈRE. — Mieux ! Beaucoup mieux ! Washington comptait relever notre entreprise et nous confier le soin de reconstituer la flotte marchande.

JOHANNA. — Pauvre Frantz !

LE PÈRE. — Que pouvais-je faire ? Il y avait de gros intérêts en jeu. Et qui pesaient plus lourd que le crâne d'un capitaine. Même si je n'étais pas intervenu, les occupants auraient étouffé le scandale.

JOHANNA. — C'est bien possible. (*Un temps.*) Il a refusé de partir ?

LE PÈRE. — Pas tout de suite. (*Un temps.*) J'avais obtenu les visas. Il devait nous quitter un samedi. Le vendredi matin, Leni est venue me dire qu'il ne descendrait plus jamais. (*Un temps.*) D'abord, j'ai cru qu'il était mort. Et puis, j'ai vu les yeux de ma fille : elle avait gagné.

JOHANNA. — Gagné quoi ?

LE PÈRE. — Elle ne l'a jamais dit.

LENI, *souriante.* — Ici, vous savez, nous jouons à qui perd gagne.

JOHANNA. — Après ?

LE PÈRE. — Nous avons vécu treize ans.

JOHANNA, *tournée vers le portrait.* — Treize ans.

WERNER. — Quel beau travail ! Croyez que j'ai tout apprécié en amateur. Comme vous l'avez manœuvrée, la pauvre. Au début, elle écoutait à peine ; à la fin, elle ne se lassait pas d'interroger. Eh bien, le portrait est achevé. (*Riant.*) « Vous êtes la femme qu'il lui fallait ! » Bravo, père ! Voilà le génie.

JOHANNA. — Arrête ! Tu nous perds.

WERNER. — Mais nous sommes perdus : qu'est-

ce qui nous reste ? (*Il lui saisit le bras au-dessus
du coude, l'attire vers lui et la regarde.*) Où est
ton regard ? Tu as des yeux de statue : blancs. (*La
repoussant brusquement.*) Une flatterie si vulgaire : et tu as donné dans le panneau ! Tu me
déçois, ma petite.

> *Un temps. Tout le monde le regarde.*

JOHANNA. — Voici le moment.

WERNER. — Quoi ?

JOHANNA. — La mise à mort, mon amour.

WERNER. — Quelle mise à mort ?

JOHANNA. — La tienne. (*Un temps.*) Ils nous ont
eus. Quand ils me parlaient de Frantz, ils s'arran-
geaient pour que les mots te frappent par rico-
chet.

WERNER. — C'est peut-être moi qu'ils ont
séduit ?

JOHANNA. — Ils n'ont séduit personne : ils ont
voulu te faire croire qu'ils me séduisaient.

WERNER. — Pourquoi, s'il te plaît ?

JOHANNA. — Pour te rappeler que rien n'est à
toi, pas même ta femme. (*Le Père se frotte doucement les mains. Un temps. Brusquement.*)
Arrache-moi d'ici ! (*Bref silence.*) Je t'en prie !
(*Werner rit. Elle devient dure et froide.*) Pour la
dernière fois, je te le demande, partons. Pour la
dernière fois, entends-tu ?

WERNER. — J'entends. Tu n'as plus de questions
à me poser ?

JOHANNA. — Non.

WERNER. — Donc, je fais ce que je veux ?
(*Signe de Johanna, épuisée.*) Très bien. (*Sur la
Bible.*) Je jure de me conformer aux dernières
volontés de mon père.

Le Père. — Tu resteras ici ?

Werner, *la main toujours étendue sur la Bible.* — Puisque vous l'exigez. Cette maison est la mienne pour y vivre et pour y mourir.

> *Il baisse la tête.*

Le Père, *il se lève et va à lui, estime affectueuse.* — A la bonne heure.

> *Il lui sourit. Werner, un instant renfrogné, finit par lui sourire avec une humble reconnaissance.*

Johanna, *les regardant tous.* — Voilà donc ce que c'est qu'un conseil de famille. (*Un temps.*) Werner, je pars. Avec ou sans toi, choisis.

Werner, *sans la regarder.* — Sans.

Johanna. — Bon. (*Un bref silence.*) Je te souhaite de ne pas trop me regretter.

Leni. — C'est nous qui vous regretterons. Le père surtout. Quand allez-vous nous quitter ?

Johanna. — Je ne sais pas encore. Quand je serai sûre d'avoir perdu la partie.

Leni. — Vous n'en êtes pas sûre ?

Johanna, *avec un sourire.* — Eh bien, non : pas encore.

> *Un temps.*

Leni, *croyant comprendre.* — Si la police entre ici, on nous arrêtera tous trois pour séquestration. Mais moi, en plus, on m'inculpera de meurtre.

Johanna, *sans s'émouvoir.* — Ai-je une tête à prévenir la police ? (*Au Père.*) Permettez-moi de me retirer.

Le Père. — Bonsoir, mon enfant.

> *Elle s'incline et sort. Werner se met à rire.*

Werner, *riant.* — Eh bien... eh bien... (*Il s'ar-*

rête brusquement. *Il s'approche du Père, lui touche le bras timidement et le regarde avec une tendresse inquiète.*) Est-ce que vous êtes content ?

Le Père, *horrifié.* — Ne me touche pas ! (*Un temps.*) Le conseil est terminé, va rejoindre ta femme.

> *Werner le regarde un instant avec une sorte de désespoir, puis il fait demi-tour et sort.*

SCÈNE III

LE PÈRE. LENI

Leni. — Est-ce que vous ne croyez pas que vous êtes tout de même trop dur ?

Le Père. — Avec Werner ? S'il le fallait, je serais tendre. Mais il se trouve que c'est la dureté qui paie.

Leni. — Il ne faudrait pas le pousser à bout.

Le Père. — Bah !

Leni. — Sa femme a des projets.

Le Père. — Ce sont des menaces de théâtre : le dépit a ressuscité l'actrice et l'actrice a voulu sa sortie.

Leni. — Dieu vous entende... (*Un temps.*) A ce soir, père. (*Elle attend qu'il s'en aille. Il ne bouge pas.*) Il faut que je te tire les volets et puis ce sera l'heure de Frantz. (*Avec insistance.*) A ce soir.

Le Père, *souriant.* — Je m'en vais, je m'en vais ! (*Un temps. Avec une sorte de timidité.*) Est-ce qu'il sait ce qui m'arrive ?

LENI, *étonnée*. — Qui ? Oh ! Frantz ! Ma foi non.

LE PÈRE. — Ah ! (*Avec une ironie pénible.*) Tu le ménages ?

LENI. — Lui ? Vous pourriez passer sous un train... (*Avec indifférence.*) Pour tout vous dire, j'ai oublié de lui en parler.

LE PÈRE. — Fais un nœud à ton mouchoir.

LENI, *prenant un mouchoir pour y faire un nœud.* — Voilà.

LE PÈRE. — Tu n'oublieras pas ?

LENI. — Non, mais il faut qu'une occasion se présente.

LE PÈRE. — Quand elle se présentera, tâche aussi de demander s'il peut me recevoir.

LENI, *avec lassitude.* — Encore ! (*Dure, mais sans colère.*) Il ne vous recevra pas. Pourquoi m'obliger à vous répéter chaque jour ce que vous savez depuis treize ans ?

LE PÈRE, *violent.* — Qu'est-ce que je sais, garce ? Qu'est-ce que je sais ? Tu mens comme tu respires. J'ignore si tu lui transmets mes lettres et mes prières et je me demande quelquefois si tu ne l'as pas persuadé que je suis mort depuis dix ans.

LENI, *haussant les épaules.* — Qu'allez-vous chercher ?

LE PÈRE. — Je cherche la vérité ou un lien à tes mensonges.

LENI, *désignant le premier étage.* — Elle est là-haut, la vérité. Montez, vous l'y trouverez. Montez ! Mais montez donc !

LE PÈRE, *sa colère tombe, il semble effrayé.* — Tu es folle !

Leni. — Interrogez-le : vous en aurez le cœur net.

Le Père, *même jeu.* — Je ne connais même pas...

Leni. — Le signal ! (*Riant.*) Oh ! si, vous le connaissez. Cent fois je vous ai pris à m'épier. J'entendais votre pas, je voyais votre ombre, je ne disais rien mais je luttais contre le fou rire. (*Le Père veut protester.*) Je me suis trompée ? Eh bien, j'aurai le plaisir de vous renseigner moi-même.

Le Père, *sourdement et malgré lui.* — Non.

Leni. — Frappez quatre coups puis cinq, puis deux fois trois. Qu'est-ce qui vous retient ?

Le Père. — Qui trouverais-je ? (*Un temps. D'une voix sourde.*) S'il me chassait, je ne le supporterais pas.

Leni. — Vous aimez mieux vous persuader que je l'empêche de tomber dans vos bras.

Le Père, *péniblement.* — Il faut m'excuser, Leni. Je suis souvent injuste. (*Il lui caresse la tête, elle se crispe.*) Tes cheveux sont doux. (*Il la caresse plus distraitement, comme s'il réféchissait.*) Tu as de l'influence sur lui ?

Leni, *avec orgueil.* — Naturellement.

Le Père. — Est-ce que tu ne pourrais pas, petit à petit, en t'y prenant adroitement... Je te prie d'insister particulièrement sur ceci qui est capital : ma première visite sera aussi la dernière. Je ne resterai qu'une heure. Moins, si cela doit le fatiguer. Et surtout, dis-lui bien que je ne suis pas pressé. (*Souriant.*) Enfin : pas trop.

Leni. — Une seule rencontre.

Le Père. — Une seule.

LENI. — Une seule et vous allez mourir. A quoi bon le revoir ?

LE PÈRE. — Pour le revoir. (*Elle rit avec insolence.*) Et pour prendre congé.

LENI. — Qu'est-ce que cela changerait si vous partiez à l'anglaise ?

LE PÈRE. — Pour moi ? Tout. Si je le revois, j'arrête le compte et je fais l'addition.

LENI. — Faut-il prendre tant de peine ? L'addition se fera toute seule.

LE PÈRE. — Tu crois cela ? (*Un bref silence.*) Il faut que je tire le trait moi-même sinon tout s'effilochera. (*Avec un sourire presque timide.*) Après tout, je l'ai vécue, cette vie : je ne veux pas la laisser se perdre. (*Un temps. Presque timidement.*) Est-ce que tu lui parleras ?

LENI, *brutalement.* — Pourquoi le ferais-je ? Voilà treize ans que je monte la garde et je relâcherais ma vigilance quand il reste à tenir six mois ?

LE PÈRE. — Tu montes la garde contre moi ?

LENI. — Contre tous ceux qui veulent sa perte.

LE PÈRE. — Je veux perdre Frantz ?

LENI. — Oui.

LE PÈRE, *violemment.* — Est-ce que tu es folle ? (*Il se calme. Avec un ardent désir de convaincre, presque suppliant.*) Ecoute, il se peut que nos avis diffèrent sur ce qui lui convient. Mais je ne demande à le voir qu'une seule fois : où prendrais-je le temps de lui nuire, même si j'en avais envie ? (*Elle rit grossièrement.*) Je te donne ma parole...

LENI. — Vous l'ai-je demandée ? Pas de cadeaux !

Le Père. — Alors, expliquons-nous.

Leni. — Les von Gerlach ne s'expliquent pas.

Le Père. — Tu t'imagines que tu me tiens ?

Leni, *même ton, même sourire.* — Je vous tiens un petit peu, non ?

Le Père, *moue ironique et dédaigneuse.* — Penses-tu !

Leni. — Qui de nous deux, père, a besoin de l'autre ?

Le Père, *doucement.* — Qui de nous deux, Leni, fait peur à l'autre ?

Leni. — Je ne vous crains pas. (*Riant.*) Quel bluff ! (*Elle le regarde avec défi.*) Savez-vous ce qui me rend invulnérable ? Je suis heureuse.

Le Père. — Toi ? Que peux-tu savoir du bonheur ?

Leni. — Et vous ? Qu'en savez-vous ?

Le Père. — Je te vois : s'il t'a donné ces yeux, c'est le plus raffiné des supplices.

Leni, *presque égarée.* — Mais oui ! Le plus raffiné, le plus raffiné ! Je tourne ! Si je m'arrêtais, je me casserais. Voilà le bonheur, le bonheur fou. (*Triomphalement et méchamment.*) Je vois Frantz, moi ! J'ai tout ce que je veux. (*Le Père rit doucement. Elle s'arrête net et le regarde fixement.*) Non. Vous ne bluffez jamais. Je suppose que vous avez une carte maîtresse. Bon. Montrez-la.

Le Père, *bonhomme.* — Tout de suite ?

Leni, *durcie.* — Tout de suite. Vous ne la garderez pas en réserve pour la sortir quand je ne m'y attendrai pas.

Le Père, *toujours bonhomme.* — Et si je ne veux pas la montrer ?

5

LENI. — Je vous y forcerai.

LE PÈRE. — Comment ?

LENI. — Je tiens sec. (*Elle ramasse la Bible avec effort et la pose sur une table.*) Frantz ne vous recevra pas, je le jure. (*Étendant la main.*) Je jure sur cette Bible que vous mourrez sans l'avoir revu. (*Un temps.*) Voilà. (*Un temps.*) Abattez votre jeu.

LE PÈRE, *paisible.* — Tiens ! Tu n'as pas eu le fou rire. (*Il lui caresse les cheveux.*) Quand je caresse tes cheveux, je pense à la terre : au-dehors tapissée de soie, au-dedans, ça bout. (*Il se frotte doucement les mains. Avec un sourire inoffensif et doux.*) Je te laisse, mon enfant.

Il sort.

SCÈNE IV

LENI, seule, puis JOHANNA, puis LE PÈRE

Leni reste les yeux fixés sur la porte du fond, à gauche, par où le Père est sorti. Puis elle se reprend. Elle se dirige vers les portes-fenêtres, à droite, et les ouvre, puis tire les grands volets qui les ferment et referme ensuite les portes vitrées. La pièce est plongée dans la pénombre.

Elle monte lentement l'escalier qui conduit au premier étage et frappe chez Frantz : quatre coups, puis cinq, puis deux fois trois.

*Au moment où elle frappe les deux
séries de trois, la porte de droite — au
fond — s'est ouverte et Johanna apparaît
sans bruit. Elle épie.*

*On entend le bruit d'un verrou qu'on
tourne et d'une barre de fer qu'on lève,
la porte s'ouvre en haut, en laissant fuser
la lumière électrique qui éclaire la
chambre de Frantz. Mais celui-ci ne
paraît pas. Leni entre et ferme la porte :
on l'entend tirer le verrou et baisser la
barre de fer.*

*Johanna entre dans la pièce, s'approche
d'une console et frappe de l'index deux
séries de trois coups pour se les remettre
en mémoire. Visiblement, elle n'a pas
entendu la série de cinq et celle de
quatre. Elle recommence.*

*A cet instant, toutes les ampoules du
lustre s'allument et elle sursaute en étouf-
fant un cri. C'est le Père qui apparaît à
gauche et qui a tourné le commutateur.*

*Johanna se protège les yeux avec la
main et l'avant-bras.*

Le Père. — Qui est là ? (*Elle baisse la main.*)
Johanna ! (*S'avançant vers elle.*) Je suis désolé.
(*Il est au milieu de la pièce.*) Dans les interroga-
toires de police, on braque des projecteurs sur
l'inculpé : qu'allez-vous penser de moi qui vous
envoie dans les yeux toute cette lumière ?

Johanna. — Je pense que vous devriez
l'éteindre.

Le Père, *sans bouger.* — Et puis ?

JOHANNA. — Et puis que vous n'êtes pas de la
police mais que vous comptez me soumettre à un
interrogatoire policier. (*Le Père sourit et laisse
tomber les bras dans un accablement feint. Vivement.*) Vous n'entrez jamais dans cette pièce.
Qu'y faisiez-vous si vous ne me guettiez pas ?

LE PÈRE. — Mais, mon enfant, vous n'y entrez
jamais non plus. (*Johanna ne répond pas.*) L'interrogatoire n'aura pas lieu. (*Il allume deux
lampes — abat-jour de mousseline rose — et va
éteindre le lustre.*) Voici la lumière rose des demi-
vérités. Etes-vous plus à l'aise ?

JOHANNA. — Non. Permettez-moi de me retirer.

LE PÈRE. — Je vous le permettrai quand vous
aurez entendu ma réponse.

JOHANNA. — Je n'ai rien demandé.

LE PÈRE. — Vous m'avez demandé ce que je
faisais ici et je tiens à vous le dire bien que je
n'aie pas lieu d'en être fier. (*Un bref silence.*)
Depuis des années, presque chaque jour, quand
je me suis assuré que Leni ne me surprendra pas,
je m'assieds dans ce fauteuil et j'attends.

JOHANNA, *intéressée malgré elle.* — Quoi ?

LE PÈRE. — Que Frantz se promène dans sa
chambre et que j'aie la chance de l'entendre marcher. (*Un temps.*) C'est tout ce qu'on m'a laissé
de mon fils : le choc de deux semelles contre le
plancher. (*Un temps.*) La nuit, je me relève. Tout
le monde dort, je sais que Frantz veille : nous
souffrons lui et moi des mêmes insomnies. C'est
une manière d'être ensemble. Et vous, Johanna ?
Qui guettez-vous ?

JOHANNA. — Je ne guettais personne.

LE PÈRE. — Alors, c'est un hasard, le plus

grand des hasards. Et le plus heureux : je souhaitais vous parler en tête à tête. (*Irritation de
Johanna. Vivement.*) Non, non, pas de secrets,
pas de secrets, sauf pour Leni. Vous direz tout à
Werner, j'y tiens.

JOHANNA. — Dans ce cas, le plus simple serait
de l'appeler.

LE PÈRE. — Je vous demande deux minutes.
Deux minutes et j'irai l'appeler moi-même. Si
vous y tenez encore.

> *Surprise par la dernière phrase, Jo-
> hanna s'arrête et le regarde en face.*

JOHANNA. — Bon. Qu'est-ce que vous voulez ?

LE PÈRE. — Parler avec ma bru du jeune
ménage Gerlach.

JOHANNA. — Le jeune ménage Gerlach, il est en
miettes.

LE PÈRE. — Que me dites-vous là ?

JOHANNA. — Rien de nouveau : c'est vous qui
l'avez cassé.

LE PÈRE, *désolé.* — Mon Dieu ! Ce sera par
maladresse. (*Avec sollicitude.*) Mais j'ai cru comprendre que vous aviez un moyen de le raccom-
moder. (*Elle va rapidement au fond de la scène,
à gauche.*) Que faites-vous ?

JOHANNA, *allumant toutes les lampes.* — L'interrogatoire commence : j'allume les projecteurs.
(*Revenant se placer sous le lustre.*) Où dois-je me
mettre ? Ici ? Bon. A présent, sous la lumière
froide des vérités entières et des mensonges par-
faits, je déclare que je ne ferai pas d'aveux pour
la simple raison que je n'en ai pas à faire. Je suis
seule, sans force et tout à fait consciente de mon

impuissance. Je vais partir. J'attendrai Werner à Hambourg. S'il ne revient pas...

Geste découragé.

LE PÈRE, *gravement.* — Pauvre Johanna, nous ne vous aurons fait que du mal. (*D'une voix changée, brusquement confidentielle et gaie.*) Et surtout, soyez belle.

JOHANNA. — Plaît-il ?

LE PÈRE, *souriant.* — Je dis : soyez belle.

JOHANNA, *presque outragée, violente.* — Belle !

LE PÈRE. — Ce sera sans peine.

JOHANNA, *même jeu.* — Belle ! Le jour des adieux, je suppose : je vous laisserai de meilleurs souvenirs.

LE PÈRE. — Non, Johanna : le jour où vous irez chez Frantz. (*Johanna reste saisie.*) Les deux minutes sont écoulées : dois-je appeler votre mari ? (*Elle fait signe que non.*) Très bien : ce sera notre secret.

JOHANNA. — Werner saura tout.

LE PÈRE. — Quand ?

JOHANNA. — Dans quelques jours. Oui, je le verrai, votre Frantz, je verrai ce tyran domestique, mieux vaut s'adresser à Dieu qu'à ses saints.

LE PÈRE, *un temps.* — Je suis content que vous tentiez votre chance.

Il commence à se frotter les mains et les met dans ses poches.

JOHANNA. — Permettez-moi d'en douter.

LE PÈRE. — Et pourquoi donc ?

JOHANNA. — Parce que nos intérêts sont opposés. Je souhaite que Frantz reprenne une vie normale.

LE PÈRE. — Je le souhaite aussi.

JOHANNA. — Vous ? S'il met le nez dehors, les gendarmes l'arrêtent et la famille est déshonorée.

LE PÈRE, *souriant*. — Je crois que vous n'imaginez pas ma puissance. Mon fils n'a qu'à prendre la peine de descendre : j'arrangerai tout sur l'heure.

JOHANNA. — Ce sera le meilleur moyen qu'il remonte en courant dans sa chambre et qu'il s'y enferme pour toujours.

> *Un silence. Le Père a baissé la tête et regarde le tapis.*

LE PÈRE, *d'une voix sourde*. — Une chance sur dix pour qu'il vous ouvre, une sur cent pour qu'il vous écoute, une sur mille pour qu'il vous réponde. Si vous aviez cette millième chance...

JOHANNA. — Eh bien ?

LE PÈRE. — Consentiriez-vous à lui dire que je vais mourir ?

JOHANNA. — Leni n'a pas... ?

LE PÈRE. — Non.

> *Il a relevé la tête. Johanna le regarde fixement.*

JOHANNA. — C'était donc cela ? (*Elle le regarde toujours.*) Vous ne mentez pas. (*Un temps.*) Une chance sur mille. (*Elle frissonne et se reprend à l'instant.*) Faudra-t-il aussi lui demander s'il veut vous recevoir ?

LE PÈRE, *vivement, effrayé*. — Non, non ! Un faire-part, rien de plus : le vieux va mourir. Sans commentaires. C'est promis !

JOHANNA, *souriant*. — C'est juré sur la Bible.

LE PÈRE. — Merci. (*Elle le regarde toujours. Entre ses dents, comme pour lui expliquer sa*

*conduite, mais d'une voix sourde qu'il semble ne
s'adresser qu'à lui-même.*) Je voudrais l'aider. Ne
tentez rien aujourd'hui. Leni redescendra tard, il
sera sans doute fatigué.

JOHANNA. — Demain ?

LE PÈRE. — Oui. Au début de l'après-midi.

JOHANNA. — Où vous trouverais-je si j'avais
besoin...

LE PÈRE. — Vous ne me trouverez pas. (*Un
temps.*) Je pars pour Leipzig. (*Un temps.*) Si vous
manquiez votre coup... (*Geste.*) Je reviendrai dans
quelques jours. Quand vous aurez gagné ou perdu.

JOHANNA, *angoissée*. — Vous me laisserez seule ?
(*Elle se reprend.*) Pourquoi pas ? (*Un temps.*) Eh
bien, je vous souhaite bon voyage et je vous supplie de ne rien me souhaiter.

LE PÈRE. — Attendez ! (*Avec un sourire d'excuse, mais gravement.*) J'ai peur de vous impa-
tienter, mon enfant, mais je vous répète qu'il faut
être belle.

JOHANNA. — Encore !

LE PÈRE. — Voilà treize ans que Frantz n'a vu
personne. Pas une âme.

JOHANNA, *haussant les épaules*. — Sauf Leni.

LE PÈRE. — Ce n'est pas une âme, Leni. Et je
me demande s'il la voit. (*Un temps.*) Il ouvrira
la porte et que se passera-t-il ? S'il avait peur ?
S'il s'enfonçait pour toujours dans la solitude ?

JOHANNA. — Qu'y aurait-il de changé si je me
peinturlurais le visage ?

LE PÈRE, *doucement*. — Il aimait la beauté.

JOHANNA. — Qu'avait-il à en faire, ce fils d'in-
dustriel ?

LE PÈRE. — Il vous le dira demain.

JOHANNA. — Rien du tout. (*Un temps.*) Je ne suis pas belle. Est-ce clair ?

LE PÈRE. — Si vous ne l'êtes pas, qui le sera ?

JOHANNA. — Personne : il n'y a que des laides déguisées. Je ne me déguiserai plus.

LE PÈRE. — Même pour Werner ?

JOHANNA. — Même pour Werner, oui. Gardez-le. (*Un temps.*) Comprenez-vous le sens des mots ? On me faisait... une beauté. Une par film. (*Un temps.*) Excusez-moi, c'est une marotte. Quand on y touche, je perds la tête !

LE PÈRE. — C'est moi qui m'excuse, mon enfant.

JOHANNA. — Laissez donc. Vous ne pouviez pas savoir. Ou peut-être saviez-vous, peu importe. (*Un temps.*) J'étais jolie, je suppose... Ils sont venus me dire que j'étais belle et je les ai crus. Est-ce que je savais, moi, ce que je faisais sur terre ? Il faut bien justifier sa vie. L'ennui c'est qu'ils s'étaient trompés. (*Brusquement.*) Des bateaux ? Cela justifie ?

LE PÈRE. — Non.

JOHANNA. — Je m'en doutais. (*Un temps.*) Frantz me prendra comme je suis. Avec cette robe et ce visage. N'importe quelle femme, c'est toujours assez bon pour n'importe quel homme.

> *Un silence. Au-dessus de leur tête, Frantz se met à marcher. Ce sont des pas irréguliers, tantôt lents et inégaux, tantôt rapides et rythmés, tantôt des piétinements sur place.*
>
> *Elle regarde le Père avec inquiétude comme si elle demandait : « Est-ce Frantz ? »*

LE PÈRE, *répondant à ce regard.* — Oui.

JOHANNA. — Et vous restez des nuits entières...

LE PÈRE, *blême et crispé.* — Oui.

JOHANNA. — J'abandonne la partie.

LE PÈRE. — Vous croyez qu'il est fou ?

JOHANNA. — Fou à lier.

LE PÈRE. — Ce n'est pas de la folie.

JOHANNA, *haussant les épaules.* — Qu'est-ce que c'est ?

LE PÈRE. — Du malheur.

JOHANNA. — Qui peut être plus malheureux qu'un fou ?

LE PÈRE. — Lui.

JOHANNA, *brutalement.* — Je n'irai pas chez Frantz.

LE PÈRE. — Si. Demain, au commencement de l'après-midi. (*Un temps.*) Nous n'avons pas d'autre chance, ni vous, ni lui, ni moi.

JOHANNA, *tournée vers l'escalier, lentement.* — Je monterai cet escalier, je frapperai à cette porte... (*Un temps. Les pas ont cessé.*) C'est bon, je me ferai belle. Pour me protéger.

> *Le Père lui sourit en se frottant les mains.*

Fin de l'acte I

ACTE II

La chambre de Frantz. Une porte à gauche dans un renfoncement. (Elle donne sur le palier.) Verrou. Barre de fer. Deux portes au fond, de chaque côté du lit : l'une donne sur la salle de bains, l'autre sur les cabinets. Un lit énorme, mais sans draps ni matelas : une couverture pliée sur le sommier. Une table contre le mur de droite. Une seule chaise. Sur la gauche un amas hétéroclite de meubles cassés, de bibelots détériorés : ce monceau de détritus est ce qui reste de l'ameublement. Sur le mur du fond, un grand portrait de Hitler (à droite, au-dessus du lit). A droite aussi, des rayons. Sur les rayons, des bobines (magnétophone). Des pancartes aux murs — texte en caractères d'imprimerie, lettres tracées à la main : « Don't disturb. » « Il est défendu d'avoir peur. » Sur la table, huîtres, bouteilles de champagne, des coupes, une règle, etc. Des moisissures sur les parois et au plafond.

SCÈNE PREMIÈRE

FRANTZ, LENI

Frantz porte un uniforme de soldat en lambeaux.

*Par endroits la peau est visible sous les
déchirures du tissu.*

*Il est assis à la table et tourne le dos à
Leni — et, pour les trois quarts, au
public.*

*Sur la table, huîtres et bouteilles de
champagne.*

Sous la table, caché, le magnétophone.

*Leni, face au public, balaye, tablier
blanc sur sa robe.*

*Elle travaille tranquillement, sans em-
pressement excessif et sans hâte, en
bonne ménagère, le visage vidé de toute
expression, presque endormi, pendant que
Frantz parle. Mais, de temps en temps,
elle lui jette de brefs coups d'œil. On
sent qu'elle le guette et qu'elle attend la
fin du discours.*

FRANTZ. — Habitants masqués des plafonds,
attention ! Habitants masqués des plafonds, attention ! On vous ment. Deux milliards de faux
témoins ! Deux milliards de faux témoignages à la
seconde ! Ecoutez la plainte des hommes : « Nous
étions trahis par nos actes. Par nos paroles, par
nos chiennes de vie ! » Décapodes, je témoigne
qu'ils ne pensaient pas ce qu'ils disaient et qu'ils
ne faisaient pas ce qu'ils voulaient. Nous plai-
dons : non coupable. Et n'allez surtout pas
condamner sur des aveux, même signés : on disait,
à l'époque : « L'accusé vient d'avouer, donc il
est innocent. » Chers auditeurs, mon siècle fut
une braderie : la liquidation de l'espèce humaine
y fut décidée en haut lieu. On a commencé par

l'Allemagne jusqu'à l'os. (*Il se verse à boire.*) Un seul dit vrai : le Titan fracassé, témoin oculaire, séculaire, régulier, séculier, *in secula seculorum.* Moi. L'homme est mort et je suis son témoin. Siècles, je vous dirai le goût de mon siècle et vous acquitterez les accusés. Les faits, je m'en fous : je les laisse aux faux témoins ; je leur laisse les causes occasionnelles et les raisons fondamentales. Il y avait ce goût. Nous en avions plein la bouche. (*Il boit.*) Et nous buvions pour le faire passer. (*Rêvant.*) C'était un drôle de goût, hein, quoi ? (*Il se lève brusquement avec une sorte d'horreur.*) J'y reviendrai.

LENI, *croyant qu'il en a fini.* — Frantz, j'ai à te parler.

FRANTZ, *criant.* — Silence chez les Crabes.

LENI, *voix naturelle.* — Ecoute-moi : c'est grave.

FRANTZ, *aux Crabes.* — On a choisi la carapace ? Bravo ! Adieu la nudité ! Mais pourquoi garder vos yeux ? C'est ce que nous avions de plus laid. Hein ? Pourquoi ? (*Il feint d'attendre. Déclic. Il sursaute. D'une autre voix sèche, rapide, rocailleuse.*) Qu'est-ce que c'est ? (*Il se tourne vers Leni et la regarde avec défiance et sévérité.*)

LENI, *tranquillement.* — La bobine. (*Elle se baisse, prend le magnétophone et le pose sur la table.*) Terminée... (*Elle appuie sur un bouton, la bobine se réenroule : on entend la voix de Frantz à l'envers.*) A présent, tu vas m'écouter. (*Frantz se laisse tomber sur la chaise et crispe la main sur sa poitrine. Elle s'interrompt : en se tournant vers lui, elle l'a vu crispé, semblant souffrir. Sans s'émouvoir.*) Qu'est-ce qu'il y a ?

FRANTZ. — Que veux-tu qu'il y ait ?

LENI. — Le cœur ?

FRANTZ, *douloureusement.* — Il cogne !

LENI. — Qu'est-ce que tu veux, maître chanteur ? Une autre bobine ?

FRANTZ, *subitement calmé.* — Surtout pas ! (*Il se relève et se met à rire.*) Je suis mort. De fatigue, Léni ; mort de fatigue. Enlève ça ! (*Elle va pour ôter la bobine.*) Attends ! Je veux m'écouter.

LENI. — Depuis le début ?

FRANTZ. — N'importe où. (*Leni met l'appareil en marche. On entend la voix de Frantz : « Un seul dit vrai..., etc. » Frantz écoute un instant, son visage se crispe. Il parle sur la voix enregistrée.*) Je n'ai pas voulu dire cela. Mais qui parle ? Pas un mot de vrai. (*Il prête encore l'oreille.*) Je ne peux plus supporter cette voix. Elle est morte. Arrête, bon Dieu ! Arrête donc, tu me rends fou !... (*Leni, sans hâte excessive, arrête le magnétophone et réenroule la bobine. Elle écrit un numéro sur la bobine et va la ranger près des autres. Frantz la regarde, il a l'air découragé.*) Bon. Tout est à recommencer !

LENI. — Comme toujours.

FRANTZ. — Mais non : j'avance. Un jour les mots me viendront d'eux-mêmes et je dirai ce que je veux. Après, repos ! (*Un temps.*) Tu crois que ça existe ?

LENI. — Quoi ?

FRANTZ. — Le repos ?

LENI. — Non.

FRANTZ. — C'est ce que je pensais.

Un bref silence.

LENI. — Veux-tu m'écouter ?

FRANTZ. — Eh !

LENI. — J'ai peur !

FRANTZ, *sursautant*. — Peur ? (*Il la regarde avec inquiétude.*) Tu as bien dit : peur ?

LENI. — Oui.

FRANTZ, *brutalement*. — Alors, va-t'en !

> *Il prend une règle sur la table et, du bout de la règle, frappe sur une des pancartes : « Il est défendu d'avoir peur. »*

LENI. — Bon. Je n'ai plus peur. (*Un temps.*) Ecoute-moi, je t'en prie.

FRANTZ. — Je ne fais que cela. Tu me casses la tête. (*Un temps.*) Eh bien ?

LENI. — Je ne sais pas exactement ce qui se prépare, mais...

FRANTZ. — Quelque chose se prépare ? Où, à Washington ? A Moscou ?

LENI. — Sous la plante de tes pieds.

FRANTZ. — Au rez-de-chaussée ? (*Brusque évidence.*) Le père va mourir.

LENI. — Qui parle du père ? Il nous enterrera tous.

FRANTZ. — Tant mieux.

LENI. — Tant mieux ?

FRANTZ. — Tant mieux, tant pis, je m'en fous. Alors ? De quoi s'agit-il ?

LENI. — Tu es en danger.

FRANTZ, *avec conviction*. — Oui. Après ma mort ! Si les siècles perdent ma trace, la crique me croque. Et qui sauvera l'Homme, Leni ?

LENI. — Qui voudra. Frantz, tu es en danger depuis hier et dans ta vie.

FRANTZ, *avec indifférence*. — Eh bien, défends-moi : c'est ton affaire.

LENI. — Oui, si tu m'aides.

FRANTZ. — Pas le temps. (*Avec humeur.*) J'écris l'Histoire et tu viens me déranger avec des anecdotes.

LENI. — Ce serait une anecdote, s'ils te tuaient.

FRANTZ. — Oui.

LENI. — S'ils te tuaient trop tôt ?

FRANTZ, *fronçant le sourcil.* — Trop tôt ? (*Un temps.*) Qui veut me tuer ?

LENI. — Les occupants.

FRANTZ. — Je vois. (*Un temps.*) On me casse la voix et on mystifie le trentième avec des documents falsifiés. (*Un temps.*) Ils ont quelqu'un dans la place ?

LENI. — Je crois.

FRANTZ. — Qui ?

LENI. — Je ne sais pas encore. Je crois que c'est la femme de Werner.

FRANTZ. — La bossue ?

LENI. — Oui. Elle fouine partout.

FRANTZ. — Donne-lui de la mort-aux-rats.

LENI. — Elle se méfie.

FRANTZ. — Que d'embarras. (*Inquiet.*) Il me faut dix ans.

LENI. — Donne-moi dix minutes.

FRANTZ. — Tu m'ennuies.

> *Il va au mur du fond et il effleure du doigt les bobines sur leur rayon.*

LENI. — Si on te les volait ?

FRANTZ, *Il fait demi-tour brusquement.* — Quoi ?

LENI. — Les bobines.

FRANTZ. — Tu perds la tête.

LENI, *sèchement.* — Suppose qu'ils viennent

en mon absence — ou mieux : après m'avoir sup-
primée ?

FRANTZ. — Eh bien ? Je n'ouvrirai pas.
(*Amusé.*) Ils veulent te supprimer, toi aussi ?

LENI. — Ils y songent. Que ferais-tu sans moi ?
(*Frantz ne répond pas.*) Tu mourrais de faim.

FRANTZ. — Pas le temps d'avoir faim. Je mourrai, c'est tout. Moi, je parle. La Mort, c'est mon
corps qui s'en charge : je ne m'en apercevrai
même pas ; je continuerai à parler. (*Un silence.*)
L'avantage, c'est que tu ne me fermeras pas les
yeux. Ils enfoncent la porte et que trouvent-ils ?
Le cadavre de l'Allemagne assassinée. (*Riant.*) Je
puerai comme un remords.

LENI. — Ils n'enfonceront rien du tout. Ils frap-
peront, tu seras encore en vie et tu leur ouvriras.

FRANTZ, *stupeur amusée.* — Moi ?

LENI. — Toi. (*Un temps.*) Ils connaissent le
signal.

FRANTZ. — Ils ne peuvent pas le connaître.

LENI. — Depuis le temps qu'ils m'espionnent,
tu penses bien qu'ils l'ont repéré. Le père, tiens,
je suis sûre qu'il le connaît.

FRANTZ. — Ah ! (*Un silence.*) Il est dans le
coup ?

LENI. — Qui sait ? (*Un temps.*) Je te dis que tu
leur ouvriras.

FRANTZ. — Après ?

LENI. — Ils prendront les bobines.

> *Frantz ouvre un tiroir de la table, en
> sort un revolver d'ordonnance et le
> montre à Leni en souriant.*

FRANTZ. — Et ça ?

LENI. — Ils ne les prendront pas de force. Ils te

persuaderont de les donner. (*Frantz éclate de
rire.*) Frantz, je t'en supplie, changeons le signal.
(*Frantz cesse de rire. Il la regarde d'un air sour-
nois et traqué.*) Eh bien ?

FRANTZ. — Non. (*Il invente à mesure ses raisons
de refuser.*) Tout se tient. L'Histoire est une
parole sacrée ; si tu changes une virgule, il ne
reste plus rien.

LENI. — Parfait. Ne touchons pas à l'Histoire.
Tu leur feras cadeau des bobines. Et du magnétophone, par-dessus le marché.

> *Frantz va vers les bobines et les regarde
> d'un air traqué.*

FRANTZ, *d'abord hésitant et déchiré.* — Les
bobines... Les bobines.... (*Un temps. Il réfléchit,
puis d'un geste brusque du bras gauche, il les
balaye et les fait tomber sur le plancher.*) Voilà
ce que j'en fais ! (*Il parle avec une sorte d'exalta-
tion, comme s'il confiait à Leni un secret d'importance. En fait, il invente sur l'instant ce qu'il
dit.*) Ce n'était qu'une précaution, figure-toi. Pour
le cas où le trentième n'aurait pas découvert la
vitre.

LENI. — Une vitre ? Voilà du neuf. Tu ne m'en
as jamais parlé.

FRANTZ. — Je ne dis pas tout, sœurette. (*Il se
frotte les mains d'un air réjoui, comme le Père au
premier tableau.*) Imagine une vitre noire. Plus
fine que l'éther. Ultrasensible. Un souffle s'y inscrit. Le *moindre* souffle. Toute l'Histoire y est
gravée, depuis le commencement des temps jusqu'à ce claquement de doigts.

> *Il fait claquer ses doigts.*

LENI. — Où est-elle ?

FRANTZ. — La vitre ? Partout. Ici. C'est l'envers du jour. Ils inventeront des appareils pour la faire vibrer ; tout va ressusciter. Hein, quoi ? (*Brusquement halluciné.*) Tous nos actes. (*Il reprend son ton brutal et inspiré.*) Du cinéma, je te dis : les Crabes en rond regardent Rome qui brûle et Néron qui danse. (*A la photo de Hitler.*) Ils te verront, petit père. Car tu as dansé, n'est-ce pas ? Toi aussi, tu as dansé. (*Coups de pied dans les bobines.*) Au feu ! Au feu ! Qu'ai-je à en foutre ? Débarrasse-moi de ça. (*Brusquement.*) Que faisais-tu le 6 décembre 44 à 20 h 30 ? (*Leni hausse les épaules.*) Tu ne le sais plus ? Ils le savent : ils ont déplié ta vie, Leni ; je découvre l'horrible vérité : nous vivons en résidence surveillée.

LENI. — Nous ?

FRANTZ, *face au public.* — Toi, moi, tous ces morts : les hommes. (*Il rit.*) Tiens-toi droite. On te regarde. (*Sombre, à lui-même.*) Personne n'est seul. (*Rire sec de Leni.*) Dépêche-toi de rire, pauvre Leni. Le trentième arrivera comme un voleur. Une manette qui tourne, la Nuit qui vibre; tu sauteras au milieu d'eux.

LENI. — Vivante ?

FRANTZ. — Morte depuis mille ans.

LENI, *avec indifférence.* — Bah !

FRANTZ. — Morte et ressuscitée : la vitre rendra tout, même nos pensées. Hein, quoi ? (*Un temps.*) (*Avec une inquiétude dont on ne sait pas si elle est sincère ou jouée.*) Et si nous y étions déjà ?

LENI. — Où ?

FRANTZ. — Au trentième siècle. Es-tu sûre que cette comédie se donne pour la première fois ?

Sommes-nous vifs ou reconstitués ? (*Il rit.*) Tiens-toi droite. Si les Décapodes nous regardent, sois sûre qu'ils nous trouvent très laids.

LENI. — Qu'en sais-tu ?

FRANTZ. — Les Crabes n'aiment que les Crabes : c'est trop naturel.

LENI. — Et si c'étaient des hommes ?

FRANTZ. — Au xxxᵉ siècle ? S'il reste un homme, on le conserve dans un musée... Tu penses bien qu'ils ne vont pas garder notre système nerveux ?

LENI. — Et cela fera des Crabes ?

FRANTZ, *très sec.* — Oui. (*Un temps.*) Ils auront d'autres corps, donc d'autres idées. Lesquelles, hein ? Lesquelles ?... Mesures-tu l'importance de ma tâche et son exceptionnelle difficulté ? Je vous défends devant des magistrats que je n'ai pas le plaisir de connaître. Travaux d'aveugles : tu lâches un mot ici, au jugé ; il cascade de siècle en siècle. Que voudra-t-il dire là-haut ? Sais-tu qu'il m'arrive de dire *blanc* quand je veux leur faire entendre *noir* ? (*Tout à coup, il s'effondre sur sa chaise.*) Bon Dieu !

LENI. — Quoi encore ?

FRANTZ, *accablé.* — La vitre !

LENI. — Eh bien ?

FRANTZ. — Tout est en direct à présent. Il faudra nous surveiller constamment. J'avais bien besoin de la trouver, celle-là ! (*Violemment.*) Expliquer ! Justifier ! Plus un instant de répit ! Hommes, femmes, bourreaux traqués, victimes impitoyables, je suis votre martyr.

LENI. — S'ils voient tout, qu'ont-ils besoin de tes commentaires ?

FRANTZ, *riant.* — Ha ! mais ce sont des Crabes,

Leni : ils ne comprennent rien. (*Il s'essuie le front
avec son mouchoir, regarde le mouchoir et le jette
avec dépit sur la table.*) De l'eau salée.

LENI. — Qu'attendais-tu ?

FRANTZ, *haussant les épaules*. — La sueur de
sang. Je l'ai gagnée. (*Il se relève, vif et fausse-
ment gai.*) A mon commandement, Leni ! Je t'uti-
lise en direct. Un essai pour la voix. Parle fort et
prononce bien. (*Très fort.*) Témoigne devant les
magistrats que les Croisés de la Démocratie ne
veulent pas nous permettre de relever les murs de
nos maisons. (*Leni se tait, irritée.*) Allons, si tu
m'obéis, je t'écouterai.

LENI, *au plafond*. — Je témoigne que tout s'effondre.

FRANTZ. — Plus fort !

LENI. — Tout s'effondre.

FRANTZ. — De Munich, que reste-t-il ?

LENI. — Une paire de briques.

FRANTZ. — Hambourg ?

LENI. — C'est le *no man's land*.

FRANTZ. — Les derniers Allemands, où sont-ils ?

LENI. — Dans les caves.

FRANTZ, *au plafond*. — Eh bien ! vous autres,
concevez-vous cela ? Après treize ans ! L'herbe
recouvre les rues, nos machines sont enfouies sous
les liserons. (*Feignant d'écouter.*) Un châtiment ?
Quelle bourde ? Pas de concurrence en Europe,
voilà le principe et la doctrine. Dis ce qui reste de
l'Entreprise.

LENI. — Deux chantiers.

FRANTZ. — Deux ! Avant guerre, nous en avions
cent ! (*Il se frotte les mains. A Leni, voix naturelle.*) Assez pour aujourd'hui. La voix est faible

mais quand tu la pousses, cela peut aller. (*Un temps.*) Parle, à présent. Alors ? (*Un temps.*) On veut m'attaquer par le moral ?

LENI. — Oui.

FRANTZ. — Fausse manœuvre : le moral est d'acier.

LENI. — Mon pauvre Frantz ! Il fera de toi ce qu'il voudra.

FRANTZ. — Qui ?

LENI. — L'envoyé des occupants.

FRANTZ. — Ha ! Ha !

LENI. — Il frappera, tu ouvriras et sais-tu ce qu'il te dira ?

FRANTZ. — Je m'en fous !

LENI. — Il te dira : tu te prends pour le témoin et c'est toi l'accusé. (*Bref silence.*) Qu'est-ce que tu répondras ?

FRANTZ. — Je te chasse ! On t'a payée. C'est toi qui cherches à me démoraliser.

LENI. — Qu'est-ce que tu répondras, Frantz ? Qu'est-ce que tu répondras ? Voilà douze ans que tu te prosternes devant ce tribunal futur et que tu lui reconnais tous les droits. Pourquoi pas celui de te condamner ?

FRANTZ, *criant.* — Parce que je suis témoin à décharge !

LENI. — Qui t'a choisi ?

FRANTZ. — L'Histoire.

LENI. — C'est arrivé, n'est-ce pas, qu'un homme se croie désigné par elle — et puis c'était le voisin qu'elle appelait.

FRANTZ. — Cela ne m'arrivera pas. Vous serez tous acquittés. Même toi : ce sera ma vengeance. Je ferai passer l'Histoire par un trou de souris !

(*Il s'arrête, inquiet.*) Chut ! Ils sont à l'écoute. Tu me pousses, tu me pousses et je finis par m'emporter. (*Au plafond.*) Je m'excuse, chers auditeurs : les mots ont trahi ma pensée.

LENI, *violente et ironique.* — Le voilà, l'homme au moral d'acier ! (*Méprisante.*) Tu passes **ton** temps à t'excuser.

FRANTZ. — Je voudrais t'y voir. Ce soir, ils vont grincer.

LENI. — Ça grince, les Crabes ?

FRANTZ. — Ceux-là, oui. C'est très désagréable. (*Au plafond.*) Chers auditeurs, veuillez prendre note de ma rectification...

LENI, *éclatant.* — Assez ! Assez ! Envoie-les promener !

FRANTZ. — Tu perds l'esprit ?

LENI. — Récuse leur tribunal, je t'en prie, c'est ta seule faiblesse. Dis-leur : « Vous n'êtes pas mes juges ! » Et tu n'auras plus personne à craindre. Ni dans ce monde, ni dans l'autre.

FRANTZ, *violemment.* — Va-t'en !

   Il prend deux coquilles et les frotte l'une contre l'autre.

LENI. — Je n'ai pas fini le ménage.

FRANTZ. — Très bien : je monte au trentième. (*Il se lève, sans cesser de lui tourner le dos, et retourne une pancarte qui portait les mots* « Don't disturb » ; *on lit à présent sur l'envers* « Absent jusqu'à demain midi. » *Il se rassied et recommence à frotter les coquilles l'une contre l'autre.*) Tu me regardes : la nuque me brûle. Je t'interdis de me regarder ! Si tu restes, occupe-toi ! (*Leni ne bouge pas.*) Veux-tu baisser les yeux !

LENI. — Je les baisserai si tu me parles.

FRANTZ. — Tu me rendras fou ! fou ! fou !

LENI, *petit rire sans gaieté*. — Tu le voudrais bien.

FRANTZ. — Tu veux me regarder ? Regarde-moi ! (*Il se lève. Pas de l'oie.*) Une, deux ! Une, deux !

LENI. — Arrête !

FRANTZ. — Une, deux ! Une, deux !

LENI. — Arrête, je t'en prie !

FRANTZ. — Eh quoi, ma belle, as-tu peur d'un soldat ?

LENI. — J'ai peur de te mépriser.

> *Elle dénoue son tablier, le jette sur le lit et va pour sortir. Frantz s'arrête net.*

FRANTZ. — Leni ! (*Elle est à la porte. Avec une douceur un peu désemparée.*) Ne me laisse pas seul.

LENI, *elle se retourne, passionnément*. — Tu veux que je reste ?

FRANTZ, *même ton*. — J'ai besoin de toi, Leni.

LENI, *elle va vers lui avec un visage bouleversé*. — Mon chéri !

> *Elle est proche de lui, elle lève une main hésitante, elle lui caresse le visage.*

FRANTZ, *il se laisse faire un instant, puis bondit en arrière*. — A distance ! A distance respectueuse. Et surtout pas d'émotion.

LENI, *souriant*. — Puritain !

FRANTZ. — Puritain ? (*Un temps.*) Tu crois ? (*Il se rapproche d'elle et lui caresse les épaules et le cou. Elle se laisse faire, troublée.*) Les puritains ne savent pas caresser. (*Il lui caresse la poitrine, elle frissonne et ferme les yeux.*) Moi, je

sais. (*Elle se laisse aller contre lui. Brusquement,
il se dégage.*) Va-t'en donc ! Tu me dégoûtes !

Leni, *elle fait un pas en arrière. Avec un calme
glacé.* — Pas toujours !

Frantz. — Toujours ! Toujours ! Depuis le premier jour !

Leni. — Tombe à genoux ! Qu'est-ce que tu
attends pour leur demander pardon ?

Frantz. — Pardon de quoi ? Rien ne s'est
passé !

Leni. — Et hier ?

Frantz. — Rien, je te dis ! Rien du tout !

Leni. — Rien, sauf un inceste.

Frantz. — Tu exagères toujours !

Leni. — Tu n'es pas mon frère ?

Frantz. — Mais si, mais si.

Leni. — Tu n'as pas couché avec moi ?

Frantz. — Si peu.

Leni. — Quand tu ne l'aurais fait qu'une fois...
As-tu si peur des mots ?

Frantz, *haussant les épaules.* — Les mots ! (*Un
temps.*) S'il fallait trouver des mots pour toutes
les tribulations de cette charogne ! (*Il rit.*) Pré-
tendras-tu que je fais l'amour ? Oh ! sœurette !
Tu es là, je t'étreins, l'espèce couche avec l'espèce
— comme elle fait chaque nuit sur cette terre un
milliard de fois. (*Au plafond.*) Mais je tiens à
déclarer que jamais Frantz, fils aîné des Gerlach,
n'a désiré Leni, sa sœur cadette.

Leni. — Lâche ! (*Au plafond.*) Habitants masqués des plafonds, le témoin du siècle est un faux
témoin. Moi, Leni, sœur incestueuse, j'aime
Frantz d'amour et je l'aime parce qu'il est mon
frère. Si peu que vous gardiez le sentiment de la

famille, vous nous condamnerez sans recours, mais
je m'en moque. (*A Frantz.*) Pauvre égaré, voilà
comme il faut leur parler. (*Aux Crabes.*) Il me
désire sans m'aimer, il crève de honte, il couche
avec moi dans le noir... Après ? C'est moi qui
gagne. J'ai voulu l'avoir et je l'ai.

FRANTZ, *aux Crabes.* — Elle est folle. (*Il leur
fait un clin d'œil.*) Je vous expliquerai. Quand
nous serons seuls.

LENI. — Je te l'interdis ! Je mourrai, je suis
déjà morte et je t'interdis de plaider ma cause.
Je n'ai qu'un seul juge : moi, et je m'acquitte.
O témoin à décharge, témoigne devant toi-même.
Tu seras invulnérable, si tu oses déclarer : « J'ai
fait ce que j'ai voulu et je veux ce que j'ai fait. »

FRANTZ, *son visage se pétrifie brusquement, il a
l'air froid, haineux et menaçant. D'une voix dure
et méfiante.* — Qu'est-ce que j'ai fait, Leni ?

LENI, *dans un cri.* — Frantz ! Ils auront ta
peau, si tu ne te défends pas.

FRANTZ. — Leni, qu'est-ce que j'ai fait ?

LENI, *inquiète et cédant du terrain.* — Eh
bien... je te l'ai déjà dit...

FRANTZ. — L'inceste ? Non, Leni, ce n'est pas
de l'inceste que tu parlais. (*Un temps.*) Qu'est-ce
que j'ai fait ?

> *Un long silence : ils se regardent. Leni
> se détourne la première.*

LENI. — Bon. J'ai perdu : oublie cela. Je te
protégerai sans ton aide : j'ai l'habitude.

FRANTZ. — Va-t'en ! (*Temps.*) Si tu n'obéis
pas, je fais la grève du silence. Tu sais que je
peux tenir deux mois.

LENI. — Je sais. (*Un temps.*) Moi, je ne peux pas. (*Elle va jusqu'à la porte, ôte la barre, tourne le verrou.*) Ce soir, je t'apporterai le dîner.

FRANTZ. — Inutile : je n'ouvrirai pas.

LENI. — C'est ton affaire. La mienne est de te l'apporter. (*Il ne répond pas. En sortant, aux Crabes.*) S'il ne m'ouvre pas, mes jolis, bonne nuit !

> *Elle referme la porte sur elle.*

SCÈNE II

FRANTZ, seul.

> *Il se retourne, attend un instant, va baisser la barre de fer et tire le verrou. Son visage reste crispé, pendant cette opération.*
>
> *Dès qu'il se sent à l'abri, il se détend. Il a l'air rassuré, presque bonhomme : mais c'est à partir de ce moment qu'il semble le plus fou.*
>
> *Ses paroles s'adressent aux Crabes, pendant toute la scène. Ce n'est pas un monologue, mais un dialogue avec des personnages invisibles.*

FRANTZ. — Témoin suspect. A consulter en ma présence et selon mes indications. (*Un temps. Il a l'air rassuré, las, trop doux.*) Hé ? Fatigante ? Pour cela, oui : plutôt fatigante. Mais quel feu !

(*Il bâille.*) Son principal office est de me tenir
éveillé. (*Il bâille.*) Voilà vingt ans qu'il est minuit
dans le siècle : ça n'est pas très commode de garder les yeux ouverts à minuit. Non, non : de
simples somnolences. Cela me prend quand je
suis seul. (*La somnolence gagne du terrain.*) Je
n'aurais pas dû la renvoyer. (*Il chancelle, se
redresse brusquement, pas militaire jusqu'à sa
table. Il prend des coquilles et bombarde le portrait de Hitler, en criant.*) Sieg ! Heil ! Sieg !
Heil ! Sieg ! (*Au garde-à-vous, claquant les talons.*)
Führer, je suis un soldat. Si je m'endors, c'est
grave, c'est *très* grave : abandon de poste. Je te
jure de rester éveillé. Envoyez les phares, vous
autres ! Plein feu ; dans la gueule, au fond des
yeux, ça réveille. (*Il attend.*) Salauds ! (*Il va vers
sa chaise. D'une voix molle et conciliante.*) Eh
bien, je vais m'asseoir un peu... (*Il s'assoit, dode-
line de la tête, clignote des yeux.*) Des roses...
Oh ! comme c'est gentil... (*Il se relève si brusquement qu'il renverse la chaise.*) Des roses ? Et si je
prends le bouquet, on me fera le coup du Carnaval. (*Aux Crabes.*) Un Carnaval impudent ! A
moi, les amis, j'en sais trop, on veut me pousser
dans le trou, c'est la grande Tentation ! (*Il va
jusqu'à sa table de nuit, prend des comprimés
dans un tube et les croque.*) Pouah ! Chers auditeurs, veuillez prendre note de mon nouvel indi-
catif : *De Profundis Clamavi*, D.P.C. Tous à
l'écoute ! Grincez ! Grincez ! Si vous ne m'écoutez
pas, je m'endors. (*Il verse du champagne dans un
verre, boit, répand la moitié du liquide sur sa
veste militaire, laisse retomber son bras le long
de son flanc. La coupe pend au bout de ses*

doigts.) Pendant ce temps, le siècle cavale... Ils m'ont mis du coton dans la tête. De la brume. C'est blanc. (*Ses yeux clignotent.*) Ça traîne au ras des champs... ça les protège. Ils rampent. Ce soir il y aura du sang.

> *Coups de feu lointains, rumeurs, galo-*
> *pades. Il s'enfonce dans le sommeil, ses*
> *yeux sont clos. Le feldwebel Hermann*
> *ouvre la porte des cabinets et s'avance*
> *vers Frantz, qui s'est retourné vers le*
> *public et qui garde les yeux clos. Salut.*
> *Garde-à-vous.*

SCÈNE III

FRANTZ. LE FELDWEBEL HERMANN

FRANTZ, *d'une voix pâteuse et sans ouvrir les yeux.* — Des partisans ?

LE FELDWEBEL. — Une vingtaine.

FRANTZ. — Des morts ?

LE FELDWEBEL. — Non. Deux blessés.

FRANTZ. — Chez nous ?

LE FELDWEBEL. — Chez eux. On les a mis dans la grange.

FRANTZ. — Vous connaissez mes ordres. Allez !
> *Le Feldwebel regarde Frantz d'un air*
> *hésitant et furieux.*

LE FELDWEBEL. — Bien, mon lieutenant.
> *Salut. Demi-tour. Il sort par la porte*
> *des cabinets en la refermant sur lui. Un*

silence. La tête de Frantz tombe sur sa
poitrine. Il pousse un hurlement terrible
et se réveille.

SCÈNE IV

FRANTZ, seul

Il se réveille en sursaut et regarde le
public d'un air égaré.

FRANTZ. — Non ! Heinrich ! Heinrich ! Je vous
ai dit non ! (*Il se lève péniblement, prend une*
règle sur la table et se tape sur les doigts de la
main gauche. Comme une leçon apprise.) Bien
sûr que si ! (*Coups de règle.*) Je prends tout sur
moi. Qu'est-ce qu'elle disait ? (*Reprenant les mots*
de Leni à son compte.) Je fais ce que je veux, je
veux ce que je fais. (*Traqué.*) Audience du 20 mai
3059, Frantz von Gerlach, lieutenant. Ne jetez pas
mon siècle à la poubelle. Pas sans m'avoir
entendu. Le Mal, Messieurs les Magistrats, le Mal,
c'était l'unique matériau. On le travaillait dans
nos raffineries. Le Bien, c'était le produit fini.
Résultat : le Bien tournait mal. Et n'allez pas
croire que le Mal tournait bien. (*Il sourit, débon-*
naire. Sa tête s'incline.) Eh ? (*Criant.*) De la
somnolence ? Allons donc ! Du gâtisme. On veut
m'atteindre par la tête. Prenez garde à vous, les
juges : si je gâte, mon siècle s'engloutit. Au trou-
peau des siècles, il manque une brebis galeuse.

Que dira le quarantième, Arthropodes, si le ving-
tième s'est égaré ? (*Un temps.*) Pas de secours ?
Jamais de secours ? Que votre volonté soit faite.
(*Il regagne le devant de la scène et va pour s'asseoir.*) Ah ! Je n'aurais jamais dû la renvoyer.
(*On frappe à la porte. Il écoute et se redresse.
C'est le signal convenu. Cri de joie.*) Leni ! (*Il
court à la porte, lève la barre, ôte le verrou,
gestes fermes et décidés. Il est tout à fait réveillé.
Ouvrant la porte.*) Entre vite ! (*Il fait un pas en
arrière pour la laisser passer.*)

SCÈNE V

FRANTZ. JOHANNA

> *Johanna paraît sur le pas de la porte,
> très belle, maquillée, longue robe. Frantz
> fait un pas en arrière.*

FRANTZ, *cri rauque.* — Ha ! (*Il recule.*) Qu'est-
ce que c'est ? (*Elle veut lui répondre, il l'arrête.*)
Pas un mot ! (*Il recule et s'assied. Il la regarde
longuement, assis à califourchon sur sa chaise :
il a l'air fasciné. Il fait un signe d'acquiescement
et dit, d'une voix contenue.*) Oui. (*Un bref
silence.*) Elle entrera... (*Elle fait ce qu'il dit, à
mesure qu'il le dit.*) ... et je resterai seul. (*Aux
Crabes.*) Merci, camarades ! j'avais grand besoin
de vos secours. (*Avec une sorte d'extase.*) Elle se
taira, ce ne sera qu'une absence ; je la regar-
derai !

7

JOHANNA, *elle a paru fascinée, elle aussi. Elle s'est reprise. Elle parle en souriant, pour dominer sa peur.* — Il faut pourtant que je vous parle.

FRANTZ, *il s'est éloigné d'elle à reculons, lentement et sans la quitter du regard.* — Non ! (*Il frappe sur la table.*) Je savais qu'elle gâcherait tout. (*Un temps.*) Il y a *quelqu'un* à présent. Chez moi ! Disparaissez ! (*Elle ne bouge pas.*) Je vais vous faire chasser comme une gueuse.

JOHANNA. — Par qui ?

FRANTZ, *criant.* — Leni ! (*Un temps.*) Tête étroite et lucide, vous avez trouvé le point faible ; je suis seul. (*Il se retourne brusquement. Un temps.*) Qui êtes-vous ?

JOHANNA. — La femme de Werner.

FRANTZ. — La femme de Werner ? (*Il se lève et la regarde.*) La femme de Werner ? (*Il la considère avec stupeur.*) Qui vous envoie ?

JOHANNA. — Personne.

FRANTZ. — Comment connaissez-vous le signal ?

JOHANNA. — Par Leni.

FRANTZ, *rire sec.* — Par Leni ! Je vous crois bien !

JOHANNA. — Elle frappait. Je l'ai... surprise et j'ai compté les coups.

FRANTZ. — On m'avait prévenu que vous fouiniez partout. (*Un temps.*) Eh bien, Madame, vous avez couru le risque de me tuer. (*Elle rit.*) Riez ! Riez ! J'aurais pu tomber de saisissement. Qu'auriez-vous fait ? On m'interdit les visites — à cause de mon cœur. Cet organe aurait très certainement flanché sans une circonstance imprévisible : le hasard a voulu que vous soyez belle. Oh ! un instant : c'est bien fini. Je vous avais prise Dieu sait

pour quoi... peut-être pour une vision. Profitez
de cette erreur salutaire, disparaissez avant de
commettre un crime !

Johanna. — Non.

Frantz, *criant*. — Je vais... (*Il passe vers elle,
menaçant, et s'arrête. Il se laisse retomber sur
une chaise. Il se prend le pouls.*) Du cent quarante au moins. Mais foutez le camp, nom de
Dieu, vous voyez bien que je vais crever !

Johanna. — Ce serait la meilleure solution.

Frantz. — Hein ? (*Il ôte la main de sa poitrine et regarde Johanna avec surprise.*) Elle avait
raison : vous êtes payée ! (*Il se lève et marche
avec aisance.*) On ne m'aura pas si vite. Doucement ! Doucement ! (*Il revient brusquement sur
elle.*) La meilleure solution ? Pour qui ? Pour
tous les faux témoins de la terre ?

Johanna. — Pour Werner et pour moi.

                              Elle le regarde.

Frantz, *ahuri*. — Je vous gêne ?

Johanna. — Vous nous tyrannisez.

Frantz. — Je ne vous connais même pas.

Johanna. — Vous connaissez Werner.

Frantz. — J'ai oublié jusqu'à ses traits.

Johanna. — On nous retient ici de force. En
votre nom.

Frantz. — Qui ?

Johanna. — Le père et Leni.

Frantz, *amusé*. — Ils vous battent, ils vous
enchaînent ?

Johanna. — Mais non.

Frantz. — Alors ?

Johanna. — Chantage.

Frantz. — Cela oui. Ça les connaît. (*Rire sec.*

Il revient à son étonnement.) En mon nom ? Que
veulent-ils ?

JOHANNA. — Nous garder en réserve : nous
prendrons la relève en cas d'accident.

FRANTZ, *égayé.* — Votre mari fera ma soupe et
vous balaierez ma chambre ? Savez-vous repriser ?

JOHANNA, *désignant l'uniforme en loques.* —
Les travaux d'aiguille ne seront pas très absor-
bants.

FRANTZ. — Détrompez-vous ! Ce sont des trous
consolidés. Si ma sœur n'avait des doigts de fée...
(*Brusquement sérieux.*) Pas de relève : emmenez
Werner au diable et que je ne vous revoie plus !
(*Il va vers sa chaise. Au moment de s'asseoir, il
se retourne.*) Encore là ?

JOHANNA. — Oui.

FRANTZ. — Vous ne m'avez pas compris : je
vous rends votre liberté.

JOHANNA. — Vous ne me rendez rien du tout.

FRANTZ. — Je vous dis que vous êtes libre.

JOHANNA. — Des mots ! Du vent !

FRANTZ. — On veut des actes ?

JOHANNA. — Oui.

FRANTZ. — Eh bien ? Que faire ?

JOHANNA. — Le mieux serait de vous supprimer.

FRANTZ. — Encore ! (*Petit rire.*) N'y comptez
pas. Sans façons.

JOHANNA, *un temps.* — Alors, aidez-nous.

FRANTZ, *suffoqué.* — Hein ?

JOHANNA, *avec chaleur.* — Il faut nous aider,
Frantz !

Un temps.

FRANTZ. — Non. (*Un temps.*) Je ne suis pas du
siècle. Je sauverai tout le monde à la fois mais je

n'aide personne en particulier. (*Il marche avec agitation.*) Je vous interdis de me mêler à vos histoires. Je suis un malade, comprenez-vous ? On en profite pour me faire vivre dans la dépendance la plus abjecte et vous devriez avoir honte, vous qui êtes jeune et bien portante, d'appeler un infirme, un opprimé, à votre secours. (*Un temps.*) Je suis fragile, Madame, et ma tranquillité passe avant tout. D'ordre médical. On vous étranglerait sous mes yeux sans que je lève un doigt. (*Avec complaisance.*) Je vous dégoûte ?

JOHANNA. — Profondément.

FRANTZ, *se frottant les mains.* — A la bonne heure !

JOHANNA. — Mais pas assez pour que je m'en aille.

FRANTZ. — Bon. (*Il prend le revolver et la vise.*) Je compte jusqu'à trois. (*Elle sourit.*) Un ! (*Un temps.*) Deux ! (*Un temps.*) Pfuitt ! Plus personne. Escamotée ! (*Aux Crabes.*) Quel calme ! Elle se tait. Tout est là, camarades : « Sois belle et tais-toi. » Une image. Est-ce qu'elle s'inscrit sur votre vitre ? Eh non ! Qu'est-ce qui s'inscrirait ? Rien n'est changé ; rien n'est arrivé. La chambre a reçu le vide en coup de faux, voilà tout. Le vide, un diamant qui ne raye aucune vitre, l'absence, la Beauté. Vous n'y verrez que du feu, pauvres Crustacés. Vous avez pris nos yeux pour inspecter ce qui existe. Mais nous, du temps des hommes, avec ces mêmes yeux, il nous arrivait de voir ce qui n'existe pas.

JOHANNA, *tranquillement.* — Le père va mourir.

> *Un silence. Frantz jette le revolver et se lève brusquement.*

FRANTZ. — Pas de chance ! Leni vient de m'apprendre qu'il se portait comme un chêne.

JOHANNA. — Elle ment.

FRANTZ, *avec assurance.* — A tout le monde, sauf à moi : c'est la règle du jeu. (*Brusquement.*) Allez vous cacher, vous devriez mourir de honte. Une ruse si grossière et si vite éventée ! Hein, quoi ? Deux fois belle en moins d'une heure — et vous ne profitez même pas de cette chance inouïe ! Vous êtes de l'espèce vulgaire, ma jeune belle-sœur, et je ne m'étonne plus que Werner vous ait épousée.

> *Il lui tourne le dos, s'assied, frappe deux coquilles l'une contre l'autre. Visage durci et solitaire : il ignore Johanna.*

JOHANNA, *pour la première fois déconcertée.* — Frantz ! (*Un silence.*) ... Il mourra dans six mois ! (*Silence. Surmontant sa peur, elle s'approche de lui et lui touche l'épaule. Pas de réaction. Sa main retombe. Elle le regarde en silence.*) Vous avez raison : je n'ai pas su profiter de ma chance. Adieu !

> *Elle va pour sortir.*

FRANTZ, *brusquement.* — Attendez ! (*Elle se retourne lentement. Il lui tourne le dos.*) Les comprimés, là-bas, dans le tube. Sur la table de nuit. Passez-les-moi !

JOHANNA, *elle va à la table de nuit.* — Benzédrine : c'est cela ? (*Il acquiesce de la tête. Elle lui jette le tube qu'il attrape au vol.*) Pourquoi prenez-vous de la benzédrine ?

FRANTZ. — Pour vous supporter.

> *Il avale quatre comprimés.*

JOHANNA. — Quatre à la fois ?

FRANTZ. — Et quatre tout à l'heure qui font huit. (*Il boit.*) On en veut à ma vie, Madame, je le sais ; vous êtes l'outil d'un assassin. C'est le moment de raisonner juste, hein, quoi ? Et serré. (*Il prend un dernier comprimé.*) Il y avait des brumes... (*Doigt sur le front.*) ... là. J'y installe un soleil. (*Il boit, fait un violent effort sur lui-même et se retourne. Visage précis et dur.*) Cette robe, ces bijoux, ces chaînes d'or, qui vous a conseillé de les mettre ? De les mettre *aujour-d'hui ?* C'est le père qui vous envoie.

JOHANNA. — Non.

FRANTZ. — Mais il vous a donné ses bons avis. (*Elle veut parler.*) Inutile ! Je le connais comme si je l'avais fait. Et, pour tout dire, je ne sais plus trop qui de nous deux a fait l'autre. Quand je veux prévoir le tour qu'il manigance, je com-mence par me lessiver le cerveau et puis je fais confiance au vide ; les premières pensées qui nais-sent, ce sont les siennes. Savez-vous pourquoi ? Il m'a créé à son image — à moins qu'il ne soit devenu l'image de ce qu'il créait. (*Il rit.*) Vous n'y entendez goutte ? (*Balayant tout d'un geste las*). Ce sont des jeux de reflets. (*Imitant le Père.*) « Et surtout soyez belle ! » Je l'entends d'ici. Il aime la Beauté, ce vieux fou : donc il sait que je ne mets rien au-dessus d'elle. Sauf ma propre folie. Vous êtes sa maîtresse ? (*Elle secoue la tête.*) C'est qu'il a vieilli ! Sa complice, alors ?

JOHANNA. — Jusqu'ici, j'étais son adversaire.

FRANTZ. — Un renversement d'alliances ? Il adore cela. (*Brusquement sérieux.*) Six mois ?

JOHANNA. — Pas plus.

FRANTZ. — Le cœur ?

JOHANNA. — La gorge.

FRANTZ. — Un cancer ? (*Signe de Johanna.*) Trente cigares par jour ! l'imbécile ! (*Un silence.*) Un cancer ? Alors, il se tuera. (*Un temps. Il se lève, prend des coquilles et bombarde le portrait de Hitler.*) Il se tuera, vieux Führer, il se tuera ! (*Un silence. Johanna le regarde.*) Qu'est-ce qu'il y a ?

JOHANNA. — Rien. (*Un temps.*) Vous l'aimez.

FRANTZ. — Autant que moi-même et moins que le choléra. Que veut-il ? Une audience ?

JOHANNA. — Non.

FRANTZ. — Tant mieux pour lui. (*Criant.*) Je me moque qu'il vive ! Je me moque qu'il crève ! Regardez ce qu'il a fait de moi !

> *Il prend le tube de comprimés et va
> pour en dévisser le couvercle.*

JOHANNA, *doucement*. — Donnez-moi ce tube.

FRANTZ. — De quoi vous mêlez-vous ?

JOHANNA, *tendant la main*. — Donnez-le-moi !

FRANTZ. — Il faut que je me dope : je déteste qu'on change mes habitudes. (*Elle tend toujours la main.*) Je vous le donne mais vous ne me parlerez plus de cette histoire imbécile. D'accord ? (*Johanna fait un vague signe qui peut passer pour un acquiescement.*) Bon. (*Il lui donne le tube.*) Moi, je vais tout oublier. A l'instant. J'oublie ce que je veux : c'est une force, hein ? (*Un temps.*) Voilà, *Requiescat in pace.* (*Un temps.*) Eh bien ? Parlez-moi !

JOHANNA. — De qui ? De quoi ?

FRANTZ. — De tout, sauf de la famille. De vous.

JOHANNA. — Il n'y a rien à dire.

FRANTZ. — A moi d'en décider. (*Il la regarde attentivement.*) Un piège à beauté, voilà ce que vous êtes. (*Il la détaille.*) A ce point, c'est professionnel. (*Un temps.*) Actrice ?

JOHANNA. — Je l'étais.

FRANTZ. — Et puis ?

JOHANNA. — J'ai épousé Werner.

FRANTZ. — Vous n'aviez pas réussi ?

JOHANNA. — Pas assez.

FRANTZ. — Figurante ? Starlette ?

JOHANNA, *avec un geste qui refuse le passé.* — Bah !

FRANTZ. — Star ?

JOHANNA. — Comme il vous plaira.

FRANTZ, *admiration ironique.* — Star ! et vous n'avez pas réussi ? Qu'est-ce que vous vouliez ?

JOHANNA. — Qu'est-ce qu'on peut vouloir ? Tout.

FRANTZ, *lentement.* — Tout, oui. Rien d'autre. Tout ou rien. (*Riant.*) Cela finit mal, hein ?

JOHANNA. — Toujours.

FRANTZ. — Et Werner ? Est-ce qu'il veut *tout ?*

JOHANNA. — Non.

FRANTZ. — Pourquoi l'avez-vous épousé ?

JOHANNA. — Parce que je l'aimais.

FRANTZ, *doucement.* — Mais non.

JOHANNA, *cabrée.* — Quoi ?

FRANTZ. — Ceux qui veulent tout...

JOHANNA, *même jeu.* — Eh bien ?

FRANTZ. — Ils ne peuvent pas aimer.

JOHANNA. — Je ne veux plus rien.

FRANTZ. — Sauf son bonheur, j'espère !

JOHANNA. — Sauf cela. (*Un temps.*) Aidez-nous !

FRANTZ. — Qu'attendez-vous de moi ?

JOHANNA. — Que vous ressuscitiez.

FRANTZ. — Tiens ! (*Riant.*) Vous me proposiez le suicide.

JOHANNA. — C'est l'un ou l'autre.

FRANTZ, *mauvais ricanement.* — Tout s'éclaire ! (*Un temps.*) Je suis inculpé de meurtre et c'est ma mort civile qui a mis fin aux poursuites. Vous le saviez, n'est-ce pas ?

JOHANNA. — Je le savais.

FRANTZ. — Et vous voulez que je ressuscite ?

JOHANNA. — Oui.

FRANTZ. — Je vois. (*Un temps.*) Si l'on ne peut pas tuer le beau-frère, on le fait mettre sous les verrous. (*Elle hausse les épaules.*) Dois-je attendre ici la police ou me constituer prisonnier ?

JOHANNA, *agacée.* — Vous n'irez pas en prison.

FRANTZ. — Non ?

JOHANNA. — Evidemment non.

FRANTZ. — Alors, c'est qu'il arrangera mon affaire. (*Johanna fait un signe d'acquiescement.*) Il ne se décourage donc pas ? (*Avec une ironie pleine de ressentiment.*) Que n'a-t-il fait pour moi, le brave homme ! (*Geste pour désigner la chambre et lui-même.*) Et voilà le résultat ! (*Avec violence.*) Allez tous au diable !

JOHANNA, *déception accablée.* — Oh ! Frantz ! Vous êtes un lâche !

FRANTZ, *se redressant avec violence.* — Quoi ? (*Il se reprend. Avec un cynisme appliqué.*) Eh bien, oui. Après ?

JOHANNA. — Et ça ?

> *Elle effleure du bout des doigts ses médailles.*

FRANTZ. — Ça ? (*Il arrache une médaille, ôte le papier d'argent. Elle est en chocolat, il la mange.*) Oh ! je les ai toutes gagnées ; elles sont à moi, j'ai le droit de les manger. L'héroïsme, voilà mon affaire. Mais les héros... Enfin, vous savez ce que c'est.

JOHANNA. — Non.

FRANTZ. — Eh bien, il y a de tout : des gendarmes et des voleurs, des militaires et des civils — peu de civils —, des lâches et même des hommes courageux ; c'est la foire. Un seul trait commun : les médailles. Moi, je suis un héros lâche et je porte les miennes en chocolat : c'est plus décent. Vous en voulez ? N'hésitez pas : j'en ai plus de cent dans mes tiroirs.

JOHANNA. — Volontiers.

> *Il arrache une médaille et la lui tend.*
> *Elle la prend et la mange.*

FRANTZ, *brusquement avec violence.* — Non !

JOHANNA. — Plaît-il ?

FRANTZ. — Je ne me laisserai pas juger par la femme de mon frère cadet. (*Avec force.*) Je ne suis pas un lâche, Madame, et la prison ne me fait pas peur : j'y vis. Vous ne résisteriez pas trois jours au régime que l'on m'impose.

JOHANNA. — Qu'est-ce que cela prouve ? Vous l'avez choisi.

FRANTZ. — Moi ? Mais je ne choisis jamais, ma pauvre amie ! Je suis choisi. Neuf mois avant ma naissance, on a fait choix de mon nom, de mon office, de mon caractère et de mon destin. Je vous dis qu'on me l'impose, ce régime cellulaire, et vous devriez comprendre que je ne m'y soumettrais pas sans une raison capitale.

JOHANNA. — Laquelle ?

FRANTZ, *il fait un pas en arrière. Un bref silence.* — Vos yeux brillent. Non, Madame, je ne ferai pas d'aveux.

JOHANNA. — Vous êtes au pied du mur, Frantz : ou vos raisons seront valables, ou la femme de votre frère cadet vous jugera sans recours.

> *Elle s'est approchée de lui et veut détacher une médaille.*

FRANTZ. — C'est vous, la mort ? Non, prenez plutôt les croix : c'est du chocolat suisse.

JOHANNA, *prenant une croix.* — Merci. (*Elle s'éloigne un peu de lui.*) La mort ? Je lui ressemble ?

FRANTZ. — Par moments.

JOHANNA, *elle jette un coup d'œil à la glace.* — Vous m'étonnez. Quand ?

FRANTZ. — Quand vous êtes belle. (*Un temps.*) Vous leur servez d'outil, Madame. Ils se sont arrangés pour que vous me demandiez des comptes. Et si je vous les rends, je risque ma peau. (*Un temps.*) Tant pis : je prends tous les risques, allez-y !

JOHANNA, *après un temps.* — Pourquoi vous cachez-vous ici ?

FRANTZ. — D'abord, je ne me cache pas. Si j'avais voulu échapper aux poursuites, il y a beau temps que je serais parti pour l'Argentine. (*Montrant le mur.*) Il y avait une fenêtre. Ici. Elle donnait sur ce qui fut notre parc.

JOHANNA. — Sur ce qui *fut* ?

FRANTZ. — Oui. (*Ils se regardent un instant. Il reprend.*) Je l'ai fait murer. (*Un temps.*) Il se

passe quelque chose. Au dehors. Quelque chose
que je ne peux pas voir.

JOHANNA. — Quoi ?

FRANTZ, *il la regarde avec défi.* — L'assassinat
de l'Allemagne. (*Il la regarde toujours, mi-sup-
pliant, mi-menaçant, comme pour l'empêcher de
parler : ils ont atteint la zone dangereuse.*) Taisez-vous : j'ai vu les ruines.

JOHANNA. — Quand ?

FRANTZ. — A mon retour de Russie.

JOHANNA. — Il y a quatorze ans de cela.

FRANTZ. — Oui.

JOHANNA. — Et vous croyez que rien n'a
changé ?

FRANTZ. — Je *sais* que tout empire d'heure en
heure.

JOHANNA. — C'est Leni qui vous informe ?

FRANTZ. — Oui.

JOHANNA. — Lisez-vous les journaux ?

FRANTZ. — Elle les lit pour moi. Les villes
rasées, les machines brisées, l'industrie saccagée,
la montée en flèche du chômage, et de la tuber-
culose, la chute verticale des naissances, rien ne
m'échappe. Ma sœur recopie toutes les statistiques
(*désignant le tiroir de la table*), elles sont rangées
dans ce tiroir ; le plus beau meurtre de l'Histoire, j'ai toutes les preuves. Dans vingt ans au
moins, dans cinquante ans au plus, le dernier
Allemand sera mort. Ne croyez pas que je me
plaigne : nous sommes vaincus, on nous égorge,
c'est impeccable. Mais vous comprenez peut-être
que je n'aie pas envie d'assister à cette boucherie.
Je ne ferai pas le circuit touristique des cathé-

drales détruites et des fabriques incendiées, je ne
rendrai pas visite aux familles entassées dans les
caves, je ne vagabonderai pas au milieu des
infirmes, des esclaves, des traîtres et des putains.
Je suppose que vous êtes habituée à ce spectacle
mais, je vous le dis franchement, il me serait
insupportable. Et les lâches, à mes yeux, sont
ceux qui peuvent le supporter. Il fallait la gagner,
cette guerre. Par tous les moyens. Je dis bien
tous ; hein, quoi ? ou disparaître. Croyez que
j'aurais eu le courage militaire de me faire sauter
la tête, mais puisque le peuple allemand accepte
l'abjecte agonie qu'on lui impose, j'ai décidé de
garder une bouche pour crier non. (*Il s'énerve
brusquement.*) Non ! *Non coupable !* (*Criant.*)
Non ! (*Un silence.*) Voilà.

JOHANNA, *lentement ; elle ne sait que décider.* —
L'abjecte agonie qu'on lui impose...

FRANTZ, *sans la quitter des yeux.* — J'ai dit :
voilà, voilà tout.

JOHANNA, *distraitement.* — Eh oui, voilà. Voilà
tout. (*Un temps.*) C'est pour cette seule raison
que vous vous enfermez ?

FRANTZ. — Pour cette seule raison. (*Un silence.
Elle réfléchit.*) Qu'est-ce qu'il y a ? Finissez votre
travail. Je vous ai fait peur ?

JOHANNA. — Oui.

FRANTZ. — Pourquoi, bonne âme ?

JOHANNA. - Parce que vous avez peur.

FRANTZ. — De vous ?

JOHANNA. — De ce que je vais dire. (*Un temps.*)
Je voudrais ne pas savoir ce que je sais.

FRANTZ, *dominant son angoisse mortelle, avec
défi.* — Qu'est-ce que vous savez ? (*Elle hésite, ils*

se mesurent du regard.) Hein ? Qu'est-ce que
vous savez ? *(Elle ne répond pas. Un silence. Ils
se regardent : ils ont peur. On frappe à la porte :
cinq, quatre, trois fois deux. Frantz sourit vague-
ment. Il se lève et va ouvrir une des portes du
fond. On entrevoit une baignoire. A voix basse.)*
Ce ne sera qu'un instant.

JOHANNA, *à mi-voix.* — Je ne me cacherai pas.

FRANTZ, *un doigt sur les lèvres.* — Chut ! *(A
voix basse.)* Si vous faites la fière, vous perdez le
bénéfice de votre petite combinaison.

> *Elle hésite, puis se décide à entrer dans
> la salle de bains. On frappe encore.*

SCÈNE VI

FRANTZ, LENI

> *Leni porte un plateau.*

LENI, *stupéfaite.* — Tu ne t'es pas verrouillé ?

FRANTZ. — Non.

LENI. — Pourquoi ?

FRANTZ, *sec.* — Tu m'interroges ? *(Vite.)* Donne-
moi ce plateau et reste ici.

> *Il lui prend le plateau des mains et va
> le porter sur la table.*

LENI, *ahurie.* — Qu'est-ce qui te prend ?

FRANTZ. — Il est trop lourd. *(Il se retourne et
la regarde.)* Me reprocherais-tu mes bons mouve-
ments ?

LENI. — Non, mais j'en ai peur. Quand tu deviens bon, je m'attends au pire.

FRANTZ, *riant*. — Ha ! Ha ! (*Elle entre et ferme la porte derrière elle.*) Je ne t'ai pas dit d'entrer. (*Un temps. Il prend une aile de poulet et mange.*) Eh bien, je m'en vais dîner. A demain.

LENI. — Attends. Je veux te demander pardon. C'est moi qui t'ai cherché querelle.

FRANTZ, *la bouche pleine*. — Querelle ?

LENI. — Oui, tout à l'heure.

FRANTZ, *vague*. — Ah oui ! Tout à l'heure... (*Vivement.*) Eh bien, voilà ! Je te pardonne.

LENI. — Je t'ai dit que j'avais peur de te mépriser : c'était faux.

FRANTZ. — Parfait ! Parfait ! Tout est parfait.
                                                    Il mange.

LENI. — Tes crabes, je les accepte, je me soumets à leur tribunal. Veux-tu que je le leur dise ? (*Aux Crabes.*) Crustacés, je vous révère.

FRANTZ. — Qu'est-ce qui te prend ?

LENI. — Je ne sais pas. (*Un temps.*) Il y a cela aussi que je voulais te dire : j'ai besoin que tu existes, toi, l'héritier du nom, le seul dont les caresses me troublent sans m'humilier. (*Un temps.*) Je ne vaux rien, mais je suis née Gerlach, cela veut dire : folle d'orgueil — et je ne puis faire l'amour qu'avec un Gerlach. L'inceste, c'est ma loi, c'est mon destin. (*Riant.*) En un mot, c'est ma façon de resserrer les liens de famille.

FRANTZ, *impérieusement*. — Suffit. A demain la psychologie. (*Elle sursaute, sa défiance lui revient, elle l'observe.*) Nous sommes réconciliés, je t'en donne ma parole. (*Un silence.*) Dis-moi, la bossue...

LENI, *prise au dépourvu.* — Quelle bossue ?

FRANTZ. — La femme de Werner. Est-elle jolie au moins ?

LENI. — Ordinaire.

FRANTZ. — Je vois. (*Un temps. Sérieusement.*) Merci, petite sœur. Tu as fait ce que tu as pu. Tout ce que tu as pu. (*Il la reconduit jusqu'à la porte. Elle se laisse faire, mais demeure inquiète.*) Je n'étais pas un malade très commode, hein ? Adieu !

LENI, *essayant de rire.* — Quelle solennité ! Je te reverrai demain, tu sais.

FRANTZ, *doucement, presque tendrement.* — Je l'espère de tout mon cœur.

> *Il a ouvert la porte. Il se penche et l'embrasse sur le front. Elle hausse la tête, l'embrasse brusquement sur la bouche et sort.*

SCÈNE VII

FRANTZ, seul

> *Il referme la porte, met le verrou, sort son mouchoir et s'essuie les lèvres. Il revient vers la table.*

FRANTZ. — Ne vous y trompez pas, camarades : Leni ne *peut pas* mentir. (*Montrant la salle de bains.*) La menteuse est là : je vais la confondre, hein, quoi ? N'ayez crainte : je connais plus d'un tour. Vous assisterez ce soir à la déconfiture d'un

faux témoin. (*Il s'aperçoit que ses mains tremblent, fait un violent effort sur lui-même sans les
quitter des yeux.*) Allons, mes petites, allons
donc ! Là ! là ! (*Elles cessent peu à peu de trembler. Coup d'œil à la glace, il tire sur sa veste et
rajuste son ceinturon. Il a changé. Pour la première fois, depuis le début du tableau, il a la
pleine maîtrise de soi. Il va à la porte de la salle
de bains, l'ouvre et s'incline.*) Au travail,
Madame !

> *Johanna entre. Il ferme la porte et la
> suit, dur, aux aguets. Durant toute la
> scène suivante, il sera visible qu'il cherche
> à la dominer.*

SCÈNE VIII

FRANTZ. JOHANNA

> *Frantz a refermé la porte. Il revient se
> placer devant Johanna. Johanna a fait un
> pas vers la porte d'entrée. Elle s'arrête.*

FRANTZ. — Ne bougez pas. Leni n'a pas quitté
le salon.

JOHANNA. — Qu'y fait-elle ?

FRANTZ. — De l'ordre. (*Un nouveau pas.*) Vos
talons ! (*Il frappe de petits coups contre la porte
pour imiter le bruit des talons de femme. Frantz
parle sans quitter Johanna des yeux. On sent qu'il*

*mesure le risque qu'il court et que ses paroles sont
calculées.*) Vous vouliez partir, mais vous aviez
des révélations à me faire ?

JOHANNA, *elle semble mal à l'aise depuis qu'elle
est sortie de la salle de bains.* — Mais non.

FRANTZ. — Ah ? (*Un temps.*) Tant pis ! (*Un
temps.*) Vous ne direz rien ?

JOHANNA. — Je n'ai rien à dire.

FRANTZ, *il se lève brusquement.* — Non, ma
chère belle-sœur, ce serait trop commode. On a
voulu m'affranchir, on a changé d'avis et puis
l'on s'en ira pour toujours en laissant derrière soi
des doutes choisis qui vont m'empoisonner : pas
de ça ! (*Il va à la table, prend deux coupes et une
bouteille. En versant du champagne dans les
coupes.*) C'est l'Allemagne ? Elle se relève ? Nous
nageons dans la prospérité ?

JOHANNA, *exaspérée.* — L'Allemagne...

FRANTZ, *très vite, se bouchant les oreilles.* —
Inutile ! Inutile ! Je ne vous croirai pas. (*Johanna
le regarde, hausse les épaules et se tait. Il marche,
désinvolte et plein d'aisance.*) En somme, c'est un
échec.

JOHANNA. — Quoi ?

FRANTZ. — Votre équipée.

JOHANNA. — Oui. (*Un temps, voix sourde.*) Il
fallait vous guérir ou vous tuer.

FRANTZ. — Eh oui ! (*Aimablement.*) Vous trouverez autre chose. (*Un temps.*) Moi, vous m'avez
donné le plaisir de vous regarder et je tiens à
vous remercier de votre générosité.

JOHANNA. — Je ne suis pas généreuse.

FRANTZ. — Comment appellerez-vous la peine
que vous avez prise ? Et ce travail au miroir ?

Cela vous a coûté plusieurs heures. Que d'apprêts pour un seul homme !

JOHANNA. — Je fais cela tous les soirs.

FRANTZ. — Pour Werner.

JOHANNA. — Pour Werner. Et quelquefois pour ses amis.

FRANTZ, *il secoue la tête en souriant.* — Non.

JOHANNA. — Je traîne en souillon dans ma chambre ? Je me néglige ?

FRANTZ. — Non plus. (*Il cesse de la regarder, tourne les yeux vers le mur et la décrit comme il l'imagine.*) Vous vous tenez droite. Très droite. Pour garder la tête hors de l'eau. Cheveux tirés. Lèvres nues. Pas un grain de poudre. Werner a droit aux soins, à la tendresse, aux baisers : aux sourires, jamais ; vous ne souriez plus.

JOHANNA, *souriant.* — Visionnaire !

FRANTZ. — Les séquestrés disposent de lumières spéciales qui leur permettent de se reconnaître entre eux.

JOHANNA. — Ils ne doivent pas se rencontrer bien souvent.

FRANTZ. — Eh bien, vous voyez : cela se produit quelquefois.

JOHANNA. — Vous me reconnaissez ?

FRANTZ. — Nous nous reconnaissons.

JOHANNA. — Je suis une séquestrée ? (*Elle se lève, se regarde dans la glace et se retourne, très belle, provocante pour la première fois.*) Je n'aurais pas cru.

Elle va vers lui.

FRANTZ, *vivement.* — Vos talons !

Johanna ôte ses souliers en souriant et

*les jette l'un après l'autre contre le por-
trait de Hitler.*

JOHANNA, *proche de Frantz.* — J'ai vu la fille
d'un client de Werner : enchaînée, trente-cinq
kilos, couverte de poux. Je lui ressemble ?

FRANTZ. — Comme une sœur. Elle voulait tout,
je suppose : c'est jouer perdant. Elle a tout perdu
et s'est enfermée dans sa chambre pour faire semblant de tout refuser.

JOHANNA, *agacée.* — Va-t-on parler de moi longtemps ? (*Elle fait un pas en arrière et, désignant
le plancher.*) Leni doit avoir quitté le salon.

FRANTZ. — Pas encore.

JOHANNA, *coup d'œil au bracelet-montre.* —
Werner va rentrer. Huit heures.

FRANTZ, *violent.* — Non ! (*Elle le regarde avec
surprise.*) Jamais d'heure ici : l'Eternité. (*Il se
calme.*) Patience : vous serez libre bientôt.

                              Un temps.

JOHANNA, *mélange de défi et de curiosité.* —
Alors ? Je me séquestre ?

FRANTZ. — Oui.

JOHANNA. — Par orgueil ?

FRANTZ. — Dame !

JOHANNA. — Qu'est-ce qui vous manque ?

FRANTZ. — Vous n'étiez pas assez belle.

JOHANNA, *souriant.* — Flatteur !

FRANTZ. — Je dis ce que vous pensez.

JOHANNA. — Et vous ? Que pensez-vous ?

FRANTZ. — De moi ?

JOHANNA. — De moi.

FRANTZ. — Que vous êtes possédée.

JOHANNA. — Folle ?

FRANTZ. — A lier.

JOHANNA. — Qu'est-ce que vous me racontez ? Votre histoire ou la mienne ?

FRANTZ. — La nôtre.

JOHANNA. — Qu'est-ce qui vous possédait, vous ?

FRANTZ. — Est-ce que cela porte un nom ? Le vide. (*Un temps.*) Disons : la grandeur... (*Il rit.*) Elle me possédait mais je ne la possédais pas.

JOHANNA. — Voilà.

JOHANNA. — Oui.

FRANTZ. — Vous vous guettiez, hein? Vous cherchiez à vous surprendre ? (*Johanna fait un signe d'acquiescement.*) Vous vous êtes attrapée ?

JOHANNA. — Pensez-vous ! (*Elle se regarde dans la glace sans complaisance.*) Je voyais ça. (*Elle désigne son reflet. Un temps.*) J'allais dans les salles de quartier. Quand la star Johanna Thies glissait sur le mur du fond, j'entendais une petite rumeur. Ils étaient émus, chacun par l'émotion de l'autre. Je regardais...

FRANTZ. — Et puis ?

JOHANNA. — Et puis rien. Je n'ai jamais vu ce qu'ils voyaient. (*Un temps.*) Et vous ?

FRANTZ. — Eh bien, j'ai fait comme vous : je me suis raté. On m'a décoré devant l'armée entière. Est-ce que Werner vous trouve belle ?

JOHANNA. — J'espère bien que non. Un seul homme, vous pensez ! Est-ce que cela compte ?

FRANTZ, *lentement*. — Moi, je vous trouve belle.

JOHANNA. — Tant mieux pour vous mais ne m'en parlez pas. Personne, vous m'entendez, personne, depuis que le public m'a rejetée... (*Elle se calme un peu et rit.*) Vous vous prenez pour un corps d'armée.

FRANTZ. — Pourquoi pas ? (*Il ne cesse pas de*

la regarder.) Il faut me croire, c'est votre chance, si vous me croyez, je deviens innombrable.

JOHANNA, *riant nerveusement.* — C'est un marché : « Entrez dans ma folie, j'entrerai dans la vôtre. »

FRANTZ. — Pourquoi pas ? Vous n'avez plus rien à perdre. Et, quant à ma folie, il y a longtemps que vous y êtes entrée. (*Désignant la porte d'entrée.*) Quand je vous ai ouvert la porte, ce n'est pas moi que vous avez vu : c'est quelque image au fond de mes yeux.

JOHANNA. — Parce qu'ils sont vides.

FRANTZ. — Pour cela même.

JOHANNA. — Je ne me rappelle même plus ce que c'était, la photo d'une star défunte. Tout a disparu quand vous avez parlé.

FRANTZ. — Vous avez parlé d'abord.

JOHANNA. — Ce n'était pas supportable. Il fallait rompre le silence.

FRANTZ. — Rompre le charme.

JOHANNA. — De toute manière, c'était bien fini. (*Un temps.*) Qu'est-ce qui vous prend ? (*Elle rit nerveusement.*) On dirait l'œil de la camera. Assez. Vous êtes mort.

FRANTZ. — Pour vous servir. La mort est le miroir de la mort. Ma grandeur reflète votre beauté.

JOHANNA. — C'est aux vivants que je voulais plaire.

FRANTZ. — Aux foules éreintées qui rêvent de mourir ? Vous leur montriez le visage pur et tranquille de l'Eternel Repos. Les cinémas sont des cimetières, chère amie. Comment vous appelez-vous ?

JOHANNA. — Johanna.

FRANTZ. — Johanna, je ne vous désire pas, je ne vous aime pas. Je suis votre témoin et celui de tous les hommes. Je porte témoignage devant les siècles et je dis : vous êtes belle.

JOHANNA, *comme fascinée.* — Oui.

> *Il frappe violemment sur la table.*

FRANTZ, *d'une voix dure.* — Avouez que vous avez menti : dites que l'Allemagne agonise.

JOHANNA, *elle tressaille presque douloureusement. C'est un réveil.* — Ha ! (*Elle frissonne, son visage se crispe. Elle devient un instant presque laide.*) Vous avez tout gâché.

FRANTZ. — Tout : j'ai brouillé l'image. (*Brusquement.*) Et vous voudriez me faire revivre ? Vous casseriez le miroir pour rien. Je descendrais parmi vous. Je mangerais la soupe en famille et vous iriez à Hambourg avec votre Werner. Où cela nous mènera-t-il ?

JOHANNA, *elle s'est reprise. Souriant.* — A Hambourg.

FRANTZ. — Vous n'y serez plus jamais belle.

JOHANNA. — Non. plus jamais.

FRANTZ. — Ici, vous le serez tous les jours.

JOHANNA. — Oui, si je reviens tous les jours.

FRANTZ. — Vous reviendrez.

JOHANNA. — Vous ouvrirez la porte ?

FRANTZ. — Je l'ouvrirai.

JOHANNA, *imitant Frantz.* — Où cela nous mènera-t-il ?

FRANTZ. — Ici, dans l'Eternité.

JOHANNA, *souriant.* — Dans un délire à deux... (*Elle réfléchit. La fascination disparue, on sent qu'elle revient à ses projets initiaux.*) Bon. Je reviendrai.

FRANTZ. — Demain ?

JOHANNA. — Demain, peut-être.

FRANTZ, *doucement. Silence de Johanna.* — Dites que l'Allemagne agonise. Dites-le, sinon le miroir est en miettes. (*Il s'énerve, ses mains recommencent à trembler.*) Dites-le ! Dites-le ! Dites-le !

JOHANNA, *lentement.* — Un délire à deux : soit. (*Un temps.*) L'Allemagne est à l'agonie.

FRANTZ. — C'est bien vrai?

JOHANNA. — Oui.

FRANTZ. — On nous égorge ?

JOHANNA. — Oui.

FRANTZ. — Bien. (*Il tend l'oreille.*) Elle est partie. (*Il va ramasser les souliers de Johanna, s'agenouille devant elle et les lui chausse. Elle se lève. Il se relève et s'incline, claquant les talons.*) A demain ! (*Johanna va presque jusqu'à la porte, il la suit, tire le verrou, ouvre la porte. Elle lui fait un signe de tête et un très léger sourire. Elle va pour partir, il l'arrête.*) Attendez ! (*Elle se retourne, il la regarde avec une défiance soudaine.*) Qui a gagné ?

JOHANNA. — Gagné quoi ?

FRANTZ. — La première manche.

JOHANNA. — Devinez.

> *Elle sort. Il ferme la porte. Barre de fer. Verrou. Il semble soulagé. Il remonte vers le milieu de la pièce. Il s'arrête.*

SCÈNE IX

FRANTZ, seul

FRANTZ. — Ouf ! (*Le sourire reste un instant sur son visage et puis les traits se crispent. Il a peur.*) De profundis clamavi ! (*La souffrance le submerge.*) Grincez ! Grincez ! Grincez donc ! (*Il se met à trembler.*)

Fin de l'acte II

ACTE III

Le bureau de Werner. Meubles modernes. Un miroir. Deux portes.

SCÈNE PREMIÈRE

LE PÈRE. LENI

On frappe. La scène est déserte. On frappe encore. Puis le Père entre. Il porte une serviette de la main gauche ; son imperméable est enroulé sur son bras droit. Il referme la porte, pose imperméable et serviette sur un fauteuil puis, se ravisant, revient à la porte et l'ouvre.

Le Père, *appelant à la cantonade.* — Je te vois ! (*Un très léger silence.*) Leni !

Leni paraît au bout d'un instant.

Leni, *avec un peu de défi.* — Me voilà !

Le Père, *en lui caressant les cheveux.* — Bonjour. Tu te cachais ?

Leni, *léger recul.* — Bonjour, père. Je me cachais, oui. (*Elle le regarde.*) Quelle mine !

LE PÈRE. — Le voyage m'a fouetté le sang.

>   *Il tousse. Toux sèche et brève qui fait*
>   *mal.*

LENI. — Il y a la grippe à Leipzig ?

LE PÈRE, *sans comprendre.* — La grippe ? (*Il a compris.*) Non. Je tousse. (*Elle le regarde avec une sorte de peur.*) Qu'est-ce que cela peut te faire ?

LENI, *elle s'est détournée et regarde dans le vide.* — J'espère que cela ne me fera rien.

>   *Un temps.*

LE PÈRE, *jovial.* — Donc, tu m'espionnais ?

LENI, *aimable.* — Je vous épiais. Chacun son tour.

LE PÈRE. — Tu ne perds pas de temps : j'arrive.

LENI. — Je voulais savoir ce que vous feriez en arrivant.

LE PÈRE. — Tu vois : je rends visite à Werner.

LENI, *coup d'œil à son bracelet-montre.* — Vous savez très bien que Werner est aux chantiers.

LE PÈRE. — Je l'attendrai.

LENI, *feignant la stupeur.* — Vous ?

LE PÈRE. — Pourquoi pas ?

>   *Il s'assied.*

LENI. — Pourquoi pas, en effet ? (*Elle s'assied à son tour.*) En ma compagnie ?

LE PÈRE. — Seul.

LENI. — Bien. (*Elle se relève.*) Qu'avez-vous fait ?

LE PÈRE, *étonné.* — A Leipzig ?

LENI. — Ici.

LE PÈRE, *même jeu.* — Qu'est-ce que j'ai fait ?

Leni. — Je vous le demande.

Le Père. — Il y a six jours que je suis parti, mon enfant.

Leni. — Qu'avez-vous fait dimanche soir ?

Le Père. — Ah ! Tu m'agaces. (*Un temps.*) Rien. J'ai dîné et j'ai dormi.

Leni. — Tout a changé. Pourquoi ?

Le Père. — Qu'est-ce qui a changé ?

Leni. — Vous le savez.

Le Père. — Je sors d'avion : je ne sais rien, je n'ai rien vu.

Leni. — Vous me voyez.

Le Père. — Justement. (*Un temps.*) Tu ne changeras jamais, Leni. Quoi qu'il arrive.

Leni. — Père ! (*Désignant le miroir.*) Moi aussi, je me vois. (*Elle s'en approche.*) Naturellement vous m'avez décoiffée. (*Se recoiffant.*) Quand je me rencontre...

Le Père. — Tu ne te reconnais plus ?

Leni. — Plus du tout. (*Elle laisse tomber les bras.*) Bah ! (*Se regardant avec une lucidité étonnée.*) Quelle futilité ! (*Sans se retourner.*) Hier, au dîner, Johanna s'était fardée.

Le Père. — Ah ? (*Ses yeux brillent un instant mais il se reprend.*) Alors ?

Leni. — Rien de plus.

Le Père. — C'est ce que toutes les femmes font tous les jours.

Leni. — C'est ce qu'elle ne fait jamais.

Le Père. — Elle aura voulu reprendre en main son mari.

Leni. — Son mari ! (*Moue insultante.*) Vous n'avez pas vu ses yeux.

Le Père, *souriant.* — Eh bien, non. Qu'est-ce qu'ils avaient ?

Leni, *brièvement.* — Vous les verrez. (*Un temps. Rire sec.*) Ah ! vous ne reconnaîtrez personne. Werner parle haut ; il mange et boit comme quatre.

Le Père. — Ce n'est pas moi qui vous ai changés.

Leni. — Qui d'autre ?

Le Père. — Personne : les folies de ce vieux gosier. Bon : quand un père prend congé... Mais de quoi te plains-tu ? Je vous ai donné six mois de préavis. Vous aurez tout le temps de vous y faire et tu devrais me remercier.

Leni. — Je vous remercie. (*Un temps. D'une voix changée.*) Dimanche dans la soirée, vous nous avez fait cadeau d'une bombe à retardement. Où est-elle ? (*Le Père hausse les épaules et sourit.*) Je la trouverai.

Le Père. — Une bombe ! Pourquoi veux-tu... ?

Leni. — Les grands de ce monde ne supportent pas de mourir seuls.

Le Père. — Je vais faire sauter la famille entière ?

Leni. — La famille, non : vous ne l'aimez pas assez pour cela. (*Un temps.*) Frantz.

Le Père. — Pauvre Frantz ! Je l'emporterais seul dans ma tombe quand l'univers me survivra ? Leni, j'espère bien que tu m'en empêcheras.

Leni. — Comptez sur moi. (*Elle fait un pas vers lui.*) Si quelqu'un tente de l'approcher, vous partirez tout de suite et seul.

Le Père. — Bon. (*Un silence. Il s'assied.*) Tu n'as rien d'autre à me dire ? (*Elle fait signe que*

non. Avec autorité mais sans changer de ton.)
Va-t'en.

  *Leni le regarde un instant, incline la
tête et sort. Le Père se lève, va ouvrir la
porte, jette un coup d'œil dans le couloir
comme pour vérifier que Leni ne s'y
cache pas, referme la porte, lui donne
un tour de clé et met son mouchoir sur la
clé de manière à masquer la serrure.
Il se retourne, traverse la pièce, va à la
porte du fond et l'ouvre.*

SCÈNE II

LE PÈRE, puis JOHANNA

LE PÈRE, *d'une voix forte.* — Johanna !
  *Il est interrompu par une quinte de
toux. Il se retourne : à présent qu'il est
seul, il ne se maîtrise plus, et visiblement,
il souffre. Il va au bureau, prend une
carafe, se verse un verre d'eau et le boit.
Johanna entre par la porte du fond et le
voit de dos.*

JOHANNA. — Qu'est-ce que... (*Il se retourne.*)
C'est vous ?

LE PÈRE, *d'une voix encore étranglée.* — Eh
bien, oui ! (*Il lui baise la main. Sa voix s'affermit.*) Vous ne m'attendiez pas ?

JOHANNA. — Je vous avais oublié. (*Elle se
reprend et rit.*) Vous avez fait un bon voyage ?

Le Père. — Excellent. (*Elle regarde le mouchoir sur la clé.*) Ce n'est rien : un œil crevé. (*Un temps. Il la regarde.*) Vous n'êtes pas fardée.

Johanna. — Non.

Le Père. — Vous n'irez donc pas chez Frantz ?

Johanna. — Je n'irai chez personne : j'attends mon mari.

Le Père. — Mais vous l'avez vu ?

Johanna. — Qui ?

Le Père. — Mon fils.

Johanna. — Vous avez deux fils et je ne sais duquel vous parlez.

Le Père. — De l'aîné. (*Un silence.*) Eh bien, mon enfant ?

Johanna, *sursautant.* — Père ?

Le Père. — Et notre accord ?

Johanna, *avec un air de stupeur amusée.* — C'est vrai : vous avez des droits ! Quelle comédie. (*Presque en confidence.*) Tout est comique, au rez-de-chaussée, même vous qui allez mourir. Comment faites-vous pour garder cet air raisonnable ? (*Un temps.*) Bon, je l'ai vu. (*Un temps.*) Je suis sûre que vous ne comprendrez rien.

Le Père, *il s'attendait à cet aveu mais ne peut l'entendre sans une sorte d'angoisse.* — Vous avez vu Frantz ? (*Un temps.*) Quand ? Lundi ?

Johanna. — Lundi et tous les autres jours.

Le Père. — Tous les jours ! (*Stupéfait.*) Cinq fois ?

Johanna. — Il faut croire. Je n'ai pas compté.

Le Père. — Cinq fois ! (*Un temps.*) C'est un miracle.

Il se frotte les mains.

Johanna, *avec autorité et sans élever la voix.* —

S'il vous plaît. (*Le Père remet les mains dans ses poches.*) Ne vous réjouissez pas.

Le Père. — Il faut m'excuser, Johanna. Dans l'avion de retour, j'avais des sueurs froides : je croyais tout perdu.

Johanna. — Eh bien ?

Le Père. — J'apprends que vous le voyez chaque jour.

Johanna. — C'est moi qui perds tout.

Le Père. — Pourquoi ? (*Elle hausse les épaules.*) Mon enfant, s'il vous ouvre sa porte, il faut que vous vous entendiez, tous les deux.

Johanna. — Nous nous entendons. (*Ton cynique et dur.*) Comme larrons en foire.

Le Père, *déconcerté*. — Hein ? (*Silence.*) Enfin, vous êtes bons amis ?

Johanna. — Tout sauf des amis.

Le Père. — Tout ? (*Un temps.*) Vous voulez dire...

Johanna, *surprise*. — Quoi ? (*Elle éclate de rire.*) Amants ? Figurez-vous que nous n'y avons pas pensé. Etait-ce nécessaire à vos projets ?

Le Père, *avec un peu d'humeur*. — Je m'excuse, ma bru, mais c'est votre faute : vous ne m'expliquez rien parce que vous avez décidé que je ne comprendrais pas.

Johanna. — Il n'y a rien à expliquer.

Le Père, *inquiet*. — Il n'est pas.... malade, au moins ?

Johanna. — Malade ? (*Elle comprend. Avec un écrasant mépris.*) Oh ! Fou ? (*Haussant les épaules.*) Que voulez-vous que j'en sache ?

Le Père. — Vous le voyez vivre.

JOHANNA. — S'il est fou, je suis folle. Et pourquoi ne le serais-je pas ?

LE PÈRE. — En tout cas vous pouvez me dire s'il est malheureux.

JOHANNA, *amusée.* — Et voilà ! (*En confidence.*) Là-haut, les mots n'ont pas le même sens.

LE PÈRE. — Bien. Comment dit-on, là-haut, qu'on souffre ?

JOHANNA. — On ne souffre pas.

LE PÈRE. — Ah ?

JOHANNA. — On est occupé.

LE PÈRE. — Frantz est occupé ? (*Signe de Johanna.*) A quoi ?

JOHANNA. — A quoi ? Vous voulez dire : par qui ?

LE PÈRE. — Oui : c'est ce que je veux dire. Alors ?

JOHANNA. — Cela ne me regarde pas.

LE PÈRE, *doucement.* — Vous ne voulez pas me parler de lui ?

JOHANNA, *avec une profonde lassitude.* — En quelle langue ? Il faut tout le temps traduire : cela me fatigue. (*Un temps.*) Je vais m'en aller, père.

LE PÈRE. — Vous l'abandonnerez ?

JOHANNA. — Il n'a besoin de personne.

LE PÈRE. — Naturellement, c'est votre droit, vous êtes libre. (*Un temps.*) Vous m'aviez fait une promesse.

JOHANNA. — Je l'ai tenue.

LE PÈRE. — Il sait... (*Signe de Johanna.*) Qu'a-t-il dit ?

JOHANNA. — Que vous fumiez trop.

LE PÈRE. — Et puis ?

JOHANNA. — Rien d'autre.

Le Père, *profondément blessé.* — Je le savais !
Elle lui ment sur toute la ligne, la garce ! Que ne
lui aura-t-elle pas raconté, pendant treize ans...

> *Johanna rit doucement. Il s'arrête net
> et la regarde.*

Johanna. — Vous voyez bien que vous ne comprenez pas ! (*Il la regarde, durci.*) Que croyez-
vous que je fasse, chez Frantz ? Je lui mens.

Le Père. — Vous ?

Johanna. — Je n'ouvre pas la bouche sans lui
mentir.

Le Père, *stupéfait et presque désarmé.* —
Mais... vous détestiez le mensonge.

Johanna. — Je le déteste toujours.

Le Père. — Eh bien ?

Johanna. — Eh bien, voilà : je mens. A Werner
par mes silences ; à Frantz par mes discours.

Le Père, *très sec.* — Ce n'est pas ce dont nous
avions convenu.

Johanna. — Eh non !

Le Père. — Vous aviez raison : je... je ne comprends pas. Vous allez contre vos propres intérêts !

Johanna. — Contre ceux de Werner.

Le Père. — Ce sont les vôtres.

Johanna. — Je n'en sais plus rien.

> *Un silence. Le Père, un instant désem-
> paré, se reprend.*

Le Père. — Etes-vous passée dans l'autre camp ?

Johanna. — Il n'y a pas de camp.

Le Père. — Bon. Alors, écoutez-moi : Frantz
est fort à plaindre et je conçois que vous ayez
voulu le ménager. Mais vous ne pouvez plus conti-
nuer dans cette voie ! Si vous cédez à la pitié qu'il
vous inspire...

JOHANNA. — Nous n'avons pas de pitié.

LE PÈRE. — Qui, vous ?

JOHANNA. — Leni et moi.

LE PÈRE. — Leni, c'est une autre affaire. Mais vous, ma bru, quelque nom que vous donniez à vos sentiments, ne mentez plus à mon fils : vous le dégradez. (*Elle sourit. Avec plus de force.*) Il n'a qu'une envie : se fuir. Quand vous l'aurez lesté par vos mensonges, il en profitera pour couler à pic.

JOHANNA. — Je n'ai pas le temps de lui faire grand mal : je vous dis que je m'en vais.

LE PÈRE. — Quand et où ?

JOHANNA. — Demain, n'importe où.

LE PÈRE. — Avec Werner ?

JOHANNA. — Je ne sais pas.

LE PÈRE. — C'est une fuite ?

JOHANNA. — Oui.

LE PÈRE. — Mais pourquoi ?

JOHANNA. — Deux langages, deux vies, deux vérités, vous ne trouvez pas que c'est trop pour une seule personne ? (*Elle rit.*) Les orphelins de Düsseldorf, tenez, je n'arrive pas à me débarrasser d'eux.

LE PÈRE. — Qu'est-ce que c'est ? Un mensonge ?

JOHANNA. — Une vérité d'en-haut. Ce sont des enfants abandonnés : ils meurent de faim dans un camp. Il faut qu'ils existent d'une manière ou d'une autre puisqu'ils me poursuivent jusqu'au rez-de-chaussée. Hier soir, il s'en est fallu de peu que je ne demande à Werner si nous pourrions les sauver. (*Elle rit.*) Cela ne serait rien. Mais là-haut...

LE PÈRE. — Eh bien ?

JOHANNA. — Je suis ma pire ennemie. Ma voix ment, mon corps la dément. Je parle de la famine et je dis que nous en crèverons. A présent, regardez-moi : ai-je l'air dénourrie ? Si Frantz me voyait...

LE PÈRE. — Il ne vous voit donc pas ?

JOHANNA. — Il n'en est pas encore à me regarder. (*Comme à elle-même.*) Un traître. Inspiré. Convaincant. Il parle, on l'écoute. Et puis, tout à coup, il s'aperçoit dans la glace ; un écriteau lui barre la poitrine, avec ce seul mot, qu'on lira s'il se tait : trahison. Voilà le cauchemar qui m'attend chaque jour dans la chambre de votre fils.

LE PÈRE. — C'est le cauchemar de tout le monde. Tous les jours et toutes les nuits.

Un silence.

JOHANNA. — Puis-je vous poser une question ? (*Sur un signe du Père.*) Qu'ai-je à faire dans cette histoire ? Pourquoi m'y avez-vous embarquée ?

LE PÈRE, *très sec.* — Vous perdez l'esprit, ma bru : c'est vous qui avez décidé de vous en mêler.

JOHANNA. — Comment saviez-vous que je m'y déciderais ?

LE PÈRE. — Je ne le savais pas.

JOHANNA. — Ne mentez pas, vous qui me reprochez mes mensonges. En tout cas, ne mentez pas trop vite ; six jours, c'est long, vous m'avez laissé le temps de réfléchir. (*Un temps.*) Le conseil de famille s'est tenu pour moi seule.

LE PÈRE. — Non, mon enfant : pour Werner.

JOHANNA. — Werner ? Bah ! Vous l'attaquiez pour que je le défende. C'est moi qui ai eu l'idée de parler à Frantz, j'en conviens. Ou plutôt, c'est moi qui l'ai trouvée : vous l'aviez cachée dans la

pièce et vous me guidiez avec tant d'adresse
qu'elle a fini par me sauter aux yeux. Est-ce vrai ?

Le Père. — Je souhaitais en effet que vous ren-
contriez mon fils ; pour des raisons que vous
connaissez fort bien.

Johanna, *avec force*. — Pour des raisons que je
ne connais pas. (*Un temps.*) Quand vous nous avez
mis en présence, moi qui sais, lui qui ne veut pas
savoir, m'avez-vous prévenue qu'il suffisait d'un
mot pour le tuer ?

Le Père, *dignement*. — Johanna, j'ignore tout
de mon fils.

Johanna. — Tout, sauf qu'il cherche à se fuir
et que nous l'y aidons par nos mensonges. Allons !
Vous jouez à coup sûr : je vous dis qu'un mot
suffit pour le tuer et vous ne bronchez même pas.

Le Père, *souriant*. — Quel mot, mon enfant ?

Johanna, *lui riant au nez*. — Opulence.

Le Père. — Plaît-il ?

Johanna. — Celui-là ou n'importe quel autre,
pourvu qu'il fasse entendre que nous sommes la
nation la plus riche de l'Europe. (*Un temps.*)
Vous ne semblez pas très étonné.

Le Père. — Je ne le suis pas. Il y a douze ans,
j'ai compris les craintes de mon fils à certains
propos qui lui ont échappé. Il a cru qu'on voulait
anéantir l'Allemagne et s'est retiré pour ne pas
assister à notre extermination. En ce temps-là, si
l'on avait pu lui dévoiler l'avenir, il guérissait à
l'instant. Aujourd'hui, le sauvetage sera plus difficile : il a pris des habitudes, Leni le gâte, la vie
monacale présente certaines commodités. Mais ne
craignez rien : le seul remède à son mal, c'est la
vérité. Il rechignera d'abord parce que vous lui

ôterez ses raisons de bouder et puis, dans une
semaine, il sera le premier à vous remercier.

JOHANNA, *violente.* — Quelles fadaises ! (*Brutalement.*) Je l'ai vu hier, cela ne vous suffit pas ?

LE PÈRE. — Non.

JOHANNA. — Là-haut, l'Allemagne est plus
morte que la lune. Si je la ressuscite, il se tire
une balle dans la bouche.

LE PÈRE, *riant.* — Pensez-vous !

JOHANNA. — Je vous dis que c'est l'évidence.

LE PÈRE. — Il n'aime plus son pays ?

JOHANNA. — Il l'adore.

LE PÈRE. — Eh bien, alors ! Johanna, cela n'a
pas le sens commun.

JOHANNA. — Oh ! pour cela, non ! (*Riant avec
un peu d'égarement.*) Le sens commun ! Voilà ce
qu'il y a (*désignant le Père*) dans cette tête. Dans
la mienne, il y a ses yeux. (*Un temps.*) Arrêtez
tout. Votre machine infernale va vous éclater
entre les mains.

LE PÈRE. — Je ne peux rien arrêter.

JOHANNA. — Alors, je partirai sans le revoir et
pour toujours. Quant à la vérité, je la dirai, soyez
tranquille. Mais pas à Frantz. A Werner.

LE PÈRE, *vivement.* — Non ! (*Il se reprend.*)
Vous ne lui feriez que du mal.

JOHANNA. — Est-ce que je lui fais du bien,
depuis dimanche ? (*On entend le klaxon lointain
d'une auto.*) Le voilà : il saura tout dans un
quart d'heure.

LE PÈRE, *impérieusement.* — Attendez ! (*Elle
s'arrête, interdite. Il va à la porte, ôte le mouchoir et tourne la clé, puis se retourne vers*

Johanna.) Je vous fais une proposition. (*Elle reste silencieuse et crispée. Un temps.*) Ne racontez rien à votre mari. Allez voir Frantz une dernière fois et dites-lui que je sollicite une entrevue. S'il accepte, je délie Werner de son serment et vous partirez *tous les deux* quand il vous plaira. (*Un silence.*) Johanna ! je vous offre la liberté.

JOHANNA. — Je sais.

> *L'auto est entrée dans le parc.*

LE PÈRE. — Eh bien ?

JOHANNA. — Je n'en veux pas à ce prix.

LE PÈRE. — Quel prix ?

JOHANNA. — La mort de Frantz.

LE PÈRE. — Mon enfant ! Que vous est-il arrivé ? Je crois entendre Leni.

JOHANNA. — Vous l'entendez. Nous sommes sœurs jumelles. Ne vous en étonnez pas : c'est vous qui nous avez faites pareilles. Et quand toutes les femmes de la terre défileraient dans la chambre de votre fils, ce seraient autant de Leni qui se tourneraient contre vous.

> *Freins. L'auto s'arrête devant le perron.*

LE PÈRE. — Je vous en prie, ne décidez rien encore ! Je vous promets...

JOHANNA. — Inutile. Pour les tueurs à gage, adressez-vous à l'autre sexe.

LE PÈRE. — Vous direz tout à Werner ?

JOHANNA. — Oui.

LE PÈRE. — Fort bien. Et si je disais tout à Leni ?

JOHANNA, *stupéfaite et effrayée.* — A Leni, vous ?

LE PÈRE. — Pourquoi pas ? La maison sauterait.

JOHANNA, *au bord de la crise de nerfs.* — Faites

sauter la maison ! Faites sauter la planète ! Nous serons enfin tranquilles. (*Un rire d'abord sombre et bas qui s'enfle malgré elle.*) Tranquilles ! Tranquilles ! Tranquilles !

> *Un bruit de pas dans le corridor. Le Père va rapidement à Johanna, la prend brutalement par les épaules et la secoue en la regardant fixement.*
>
> *Johanna parvient à se calmer. Le Père s'éloigne d'elle à l'instant où la porte s'ouvre.*

SCÈNE III

LES MÊMES, WERNER

WERNER, *entrant à pas pressés et voyant le Père.* — Tiens !

LE PÈRE. — Bonjour, Werner.

WERNER. — Bonjour, père. Etes-vous content de votre voyage ?

LE PÈRE. — Hé ! (*Il se frotte les mains sans s'en apercevoir.*) Content, oui. Content. Très content, peut-être.

WERNER. — Vous souhaitiez me parler ?

LE PÈRE. — A toi ? Mais pas du tout. Je vous laisse, mes chers enfants. (*A la porte.*) Johanna, ma proposition tient toujours.

> *Il sort.*

SCÈNE IV

JOHANNA, WERNER

WERNER. — Quelle proposition ?

JOHANNA. — Je te le dirai.

WERNER. — Je n'aime pas qu'il vienne fouiner ici. (*Il va prendre une bouteille de champagne et deux coupes dans une armoire, pose les deux coupes sur le bureau et commence à déboucher la bouteille.*) Champagne ?

JOHANNA. — Non.

WERNER. — Très bien. Je boirai seul.

> *Johanna écarte les coupes.*

JOHANNA. — Pas ce soir, j'ai besoin de toi.

WERNER. — Tu m'étonnes. (*Il la regarde. Brusquement.*) En tout cas, cela n'empêche pas de boire. (*Il fait sauter le bouchon. Johanna pousse un léger cri. Werner se met à rire, remplit les deux coupes et la regarde.*) Ma parole, tu as peur !

JOHANNA. — Je suis nerveuse.

WERNER, *avec une sorte de satisfaction.* — Je dis que tu as peur. (*Un temps.*) De qui ? Du père ?

JOHANNA. — De lui aussi.

WERNER. — Et tu veux que je te protège ? (*Ricanant, mais un peu plus détendu.*) Les rôles sont renversés. (*Il boit sa coupe d'un trait.*) Raconte-moi tes ennuis. (*Un silence.*) C'est donc si difficile ? Viens ! (*Elle ne bouge pas. Il l'attire*

à lui, crispée.) Mets ta tête sur mon épaule. (*Il
incline presque de force la tête de Johanna. Un
temps. Il se regarde dans la glace et sourit.*)
Retour à l'ordre. (*Un très léger silence.*) Parle,
ma chérie !

JOHANNA, *relevant la tête pour le regarder.* —
J'ai vu Frantz.

WERNER, *il la repousse avec colère.* — Frantz !
(*Il lui tourne le dos, va au bureau, se verse une
autre coupe de champagne, boit une gorgée, posé-
ment, et se retourne vers elle, calmé, souriant.*)
Tant mieux ! Tu connaîtras toute la famille. (*Elle
le regarde, déconcertée.*) Comment le trouves-tu,
mon frère aîné, une armoire, hein ? (*Toujours
ahurie, elle fait non de la tête.*) Tiens ! (*Amusé.*)
Tiens ! Tiens ! Serait-il malingre ? (*Elle a de la
peine à parler.*) Eh bien ?

JOHANNA. — Tu es plus grand que lui.

WERNER, *même jeu.* — Ha ! Ha ! (*Un temps.*)
Et son bel habit d'officier ? Il le porte toujours ?

JOHANNA. — Ce n'est plus un bel habit.

WERNER. — Des loques ? Mais, dites-moi donc,
ce pauvre Frantz est très abîmé. (*Silence crispé de
Johanna. Il prend sa coupe.*) A sa guérison. (*Il
lève la coupe puis, s'apercevant que Johanna a
les mains vides, il va chercher l'autre coupe et la
lui tend.*) Trinquons ! (*Elle hésite. Impérieux.*)
Prends cette coupe.

> *Elle se durcit et prend la coupe.*

JOHANNA, *avec défi.* — Je bois à Frantz !

> *Elle veut choquer sa coupe contre celle
> de Werner. Celui-ci retire vivement la
> sienne.*

> *Ils se regardent un instant, interloqués*

*l'un et l'autre. Puis Werner éclate de
rire et jette le contenu de sa coupe sur
le plancher.*

WERNER, *avec une violence gaie.* — C'est pas
vrai ! C'est pas vrai ! (*Stupeur de Johanna. Il va
sur elle.*) Tu ne l'as jamais vu. Pas un instant,
je n'ai marché. (*Lui riant au nez.*) Et le verrou,
mon petit ? Et la barre de fer ? Ils ont un signal,
sois-en sûre.

JOHANNA, *elle a repris son air glacé.* — Ils en
ont un. Je le connais.

WERNER, *riant toujours.* — Comment donc ? Tu
l'auras demandé à Leni !

JOHANNA. — Je l'ai demandé au père.

WERNER, *frappé.* — Ah ! (*Un long silence. Il va
au bureau, pose sa coupe et réfléchit. Il se
retourne sur Johanna ; il a gardé son air jovial
mais on sent qu'il fait un grand effort pour se
maîtriser.*) Eh bien ! Cela devait arriver. (*Un
temps.*) Le père ne fait rien pour rien : quel est
son intérêt dans cette histoire ?

JOHANNA. — Je voudrais le savoir.

WERNER. — Qu'est-ce qu'il t'a proposé, tout à
l'heure ?

JOHANNA. — Il te déliera de ton serment si
Frantz lui accorde un rendez-vous.

WERNER, *il est devenu sombre et méfiant, sa
méfiance s'accroîtra au cours des répliques sui-
vantes.* — Un rendez-vous.... Et Frantz l'accor-
dera ?

JOHANNA, *avec assurance.* — Oui.

WERNER. — Et puis ?

JOHANNA. — Rien. Nous serons libres.

WERNER. — Libres de quoi faire ?

JOHANNA. — De nous en aller.

WERNER, *rire sec et dur.* — A Hambourg ?

JOHANNA. — Où nous voudrons.

WERNER, *même jeu.* — Parfait ! (*Rire dur.*)
Eh bien, ma femme, c'est le plus beau coup de
pied au cul que j'aie reçu de toute ma vie.

JOHANNA, *stupéfaite.* — Werner, le père ne
songe pas un seul instant...

WERNER. — A son fils cadet ? Bien sûr que non.
Frantz prendra mon bureau, il s'assiéra dans mon
fauteuil et boira mon champagne, il jettera ses
coquilles sous mon lit. A part cela, qui songerait
à moi ? Est-ce que je compte ? (*Un temps.*) Le
vieux a changé d'avis : voilà tout.

JOHANNA. — Mais tu ne comprends donc rien ?

WERNER. — Je comprends qu'il veut mettre mon
frère à la tête de l'entreprise. Et je comprends
aussi que tu leur as délibérément servi d'intermé-
diaire : pourvu que tu m'arraches d'ici, peu t'importe qu'on m'en arrache à coups de pied.
(*Johanna le regarde avec froideur. Elle le laisse
poursuivre sans même essayer de s'expliquer.*) On
brise ma carrière d'avocat pour me mettre en
résidence surveillée dans cette affreuse bâtisse, au
milieu de mes chers souvenirs d'enfance ; un beau
jour, le fils prodigue consent à quitter sa chambre,
on tue le veau gras, on me fout dehors et tout le
monde est content, à commencer par ma femme !
Une excellente histoire, non ? Tu la raconteras :
à Hambourg. (*Il va au bureau, se verse une coupe
de champagne et boit. Son ivresse — légère mais
manifeste — ne cessera de croître jusqu'à la fin
de l'acte.*) Pour les valises, tu feras tout de même
bien d'attendre un peu. Parce que, vois-tu, je me

demande si je me laisserai faire. (*Avec force.*) J'ai
l'Entreprise, je la garde : on verra ce que je vaux.
(*Il va s'asseoir à son bureau. D'une voix calme et
rancuneuse, avec un soupçon d'importance.*) A
présent, laisse-moi : il faut que je réfléchisse.

Un temps.

JOHANNA, *sans se presser, d'une voix froide et
tranquille.* — Il ne s'agit pas de l'entreprise :
personne ne te la dispute.

WERNER. — Personne, sauf mon père et son fils.

JOHANNA. — Frantz ne dirigera pas les chantiers.

WERNER. — Parce que ?

JOHANNA. — Il ne le veut pas.

WERNER. — Il ne le *veut pas* ou il ne le *peut
pas* ?

JOHANNA, *à contrecœur.* — Les deux. (*Un
temps.*) Et le père le sait.

WERNER. — Alors ?

JOHANNA. — Alors, il veut revoir Frantz avant
de mourir.

WERNER, *un peu soulagé, mais défiant.* — C'est
louche.

JOHANNA. — Très louche. Mais cela ne te concerne pas.

> *Werner se lève et va jusqu'à elle. Il la
> regarde dans les yeux, elle soutient son
> regard.*

WERNER. — Je te crois. (*Il boit. Johanna
détourne la tête, agacée.*) Un incapable ! (*Il rit.*)
Et par-dessus le marché, un gringalet. Dimanche,
le père parlait de mauvaise graisse.

JOHANNA, *vivement.* — Frantz n'a que la peau
sur les os.

WERNER. — Oui. Avec un petit ventre, comme

tous les prisonniers. (*Il se regarde dans la glace et bombe le torse, presque inconsciemment.*) Incapable. Loqueteux. A demi cinglé. (*Il se tourne vers Johanna.*) Tu l'as vu... souvent ?

JOHANNA. — Tous les jours.

WERNER. — Je me demande ce que vous trouvez à vous dire. (*Il marche avec une assurance nouvelle.*) « Pas de famille sans déchet. » Je ne sais plus qui a dit cela. Terrible, mais vrai, hein ? Seulement, jusqu'ici, le déchet, je croyais que c'était moi. (*Mettant les mains sur les épaules de Johanna.*) Merci, ma femme : tu m'as délivré. (*Il va pour prendre sa coupe, elle le retient.*) Tu as raison : plus de champagne ! (*Il balaie les deux coupes de la main. Elles tombent et se brisent.*) Qu'on lui porte les bouteilles de ma part. (*Il rit.*) Quant à toi, tu ne le reverras plus : je te l'interdis.

JOHANNA, *toujours glacée.* — Très bien. Emmène-moi d'ici.

WERNER. — Je te dis que tu m'as délivré. Je me faisais des idées, vois-tu. Désormais, tout ira bien.

JOHANNA. — Pas pour moi.

WERNER. — Non ? (*Il la regarde, son visage change, ses épaules se voûtent légèrement.*) Même si je te jure que je changerai de peau et que je les mettrai tous au pas ?

JOHANNA. — Même.

WERNER, *brusquement.* — Vous avez fait l'amour ! (*Rire sec.*) Dis-le, je ne t'en voudrai pas : il n'avait qu'à siffler, paraît-il, les femmes tombaient sur le dos. (*Il la regarde d'un air mauvais.*) Je t'ai posé une question.

JOHANNA, *très dure*. — Je ne te pardonnerai pas si tu me forces à répondre.

WERNER. — Réponds et ne pardonne pas.

JOHANNA. — Non.

WERNER. — Vous ne faites pas l'amour. Bon ! Mais tu meurs d'envie de le faire.

JOHANNA, *sans éclat mais avec une sorte de haine*. — Tu es ignoble.

WERNER, *souriant et mauvais*. — Je suis un Gerlach. Réponds.

JOHANNA. — Non.

WERNER. — Alors, qu'as-tu à craindre ?

JOHANNA, *toujours glacée*. — Avant toi, la mort et la folie m'ont attirée. Là-haut, cela recommence. Je ne le veux pas. (*Un temps.*) Ses crabes, j'y crois plus que lui.

WERNER. — Parce que tu l'aimes.

JOHANNA. — Parce qu'ils sont vrais. Les fous disent la vérité, Werner.

WERNER. — Vraiment. Laquelle ?

JOHANNA. — Il n'y en a qu'une : l'horreur de vivre. (*Retrouvant sa chaleur.*) Je ne veux pas ! Je ne veux pas ! Je préfère me mentir. Si tu m'aimes, sauve-moi. (*Désignant d'un geste le plafond.*) Ce couvercle m'écrase. Emmène-moi dans une ville où tout soit à tout le monde, où tout le monde se mente. Avec du vent. Du vent qui vienne de loin. Nous nous retrouverons, Werner, je te le jure !

WERNER, *avec une violence soudaine et sauvage*. — Nous retrouver ? Ha ! Et comment t'aurais-je perdue, Johanna ? Je ne t'ai jamais eue. Laisse donc ! Je n'avais que faire de ta sollicitude. Tu m'as trompé sur la marchandise ! Je voulais une femme, je n'ai possédé que son

cadavre. Tant pis si tu deviens folle : nous resterons ici ! (*Il l'imite.*) « Défends-moi ! Sauve-
moi ! » Comment ? En foutant le camp ? (*Il se
domine. Sourire mauvais et froid.*) Je me suis
emporté tout à l'heure. Excuse-moi. Tu feras tout
pour rester une épouse honnête : c'est le rôle de
ta vie. Mais tout le plaisir sera pour toi. (*Un
temps.*) Jusqu'où faudra-t-il aller pour que tu
oublies mon frère ? Jusqu'où fuirons-nous ? Des
trains, des avions, des bateaux : que d'histoires et
quelle fatigue ! Tu regarderas tout de ces yeux
vides : une sinistrée de luxe, cela ne te changera
guère. Et moi ? T'es-tu demandé ce que je pen-
serai pendant ce temps-là ? Que je me suis déclaré
battu d'avance et que je me suis enfui sans lever
un doigt. Un lâche, hein, un lâche : c'est comme
cela que tu m'aimes, tu pourras me consoler.
Maternellement. (*Avec force.*) Nous resterons ici !
Jusqu'à ce qu'un de nous trois crève : toi, mon
frère ou moi.

JOHANNA. — Comme tu me détestes !

WERNER. — Je t'aimerai quand je t'aurai con-
quise. Et je vais me battre, sois tranquille. (*Il rit.*)
Je gagnerai : vous n'aimez que la force, vous
autres femmes. Et la force, c'est moi qui l'ai.

> *Il la prend par la taille et l'embrasse
> brutalement. Elle le frappe de ses poings
> fermés, se dégage et se met à rire.*

JOHANNA, *riant aux éclats.* — Oh ! Werner, est-
ce que tu crois qu'il mord ?

WERNER. — Qui ? Frantz ?

JOHANNA. — Le soudard à qui tu veux ressem-
bler. (*Un temps.*) Si nous restons, j'irai chez ton
frère tous les jours.

WERNER. — J'y compte bien. Et tu passeras
toutes les nuits dans mon lit. (*Il rit.*) Les compa-
raisons se feront d'elles-mêmes.

JOHANNA, *lentement et tristement.* — Pauvre
Werner !

Elle va vers la porte.

WERNER, *brusquement désemparé.* — Où vas-tu ?

JOHANNA, *avec un rire mauvais.* — Je vais com-
parer.

*Elle ouvre la porte et sort sans qu'il
fasse un geste pour la retenir.*

Fin de l'acte III

ACTE IV

La chambre de Frantz. Même décor qu'au II. Mais toutes les pancartes ont disparu. Plus de coquilles d'huîtres sur le plancher. Sur la table une lampe de bureau. Seul, le portrait de Hitler demeure.

SCÈNE PREMIÈRE

FRANTZ, *seul.* — Habitants masqués des plafonds, attention ! Habitants masqués des plafonds, attention ! (*Un silence. Tourné vers le plafond.*) Hé ? (*Entre ses dents.*) Je ne les sens pas. (*Avec force.*) Camarades ! Camarades ! L'Allemagne vous parle, l'Allemagne martyre ! (*Un temps. Découragé.*) Ce public est gelé. (*Il se lève et marche.*) Impression curieuse mais invérifiable : ce soir l'Histoire va s'arrêter. Pile ! L'explosion de la planète est au programme, les savants ont le doigt sur le bouton, adieu ! (*Un temps.*) On aimerait pourtant savoir ce qui serait advenu de l'espèce humaine au cas où elle aurait survécu. (*Agacé, presque violent.*) Je fais la putain pour leur plaire et ils n'écoutent même pas. (*Avec chaleur.*) Chers auditeurs, je vous en supplie, si je n'ai plus votre oreille, si les faux témoins vous ont circonvenus... (*Brusquement.*) Attendez ! (*Il fouille dans sa poche.*) Je tiens le coupable. (*Il sort un bracelet-montre en le tenant par l'extrémité du bracelet de cuir, avec dégoût.*) On m'a fait cadeau de cette bête et j'ai commis la faute de l'accepter. (*Il la regarde.*) Quinze minutes ! On a quinze minutes de retard ! Inadmissible. Je la fracasserai, moi, cette montre. (*Il la met à son poignet.*) Quinze minutes ! Seize à présent. (*Avec éclat.*) Comment garderai-je ma patience séculaire si l'on m'agace par des piqûres d'épingle ? Tout finira très mal. (*Un temps.*) Je n'ouvrirai pas : c'est simple ; je la laisserai deux heures entières sur le palier.

> *On frappe trois coups. Il se hâte d'aller ouvrir.*

SCÈNE II

FRANTZ, JOHANNA

FRANTZ, *reculant pour laisser entrer Johanna.* — Dix-sept !

> *Il montre du doigt le bracelet-montre.*

JOHANNA. — Plaît-il ?

FRANTZ, *voix de l'horloge parlante.* — Quatre heures dix-sept minutes trente secondes. M'avez-vous apporté la photo de mon frère ? (*Un temps.*) Eh bien ?

JOHANNA, *de mauvaise grâce.* — Oui.

FRANTZ. — Montrez-la-moi.

JOHANNA, *même jeu.* — Qu'allez-vous en faire ?

FRANTZ, *rire insolent.* — Qu'est-ce qu'on fait d'une photo ?

JOHANNA, *après une hésitation.* — La voilà.

FRANTZ, *la regardant.* — Eh bien, je ne l'aurais pas reconnu. Mais c'est un athlète ! Félicitations ! (*Il met la photo dans sa poche.*) Et comment vont nos orphelins ?

JOHANNA, *déconcertée.* — Quels orphelins ?

FRANTZ. — Voyons ! Ceux de Düsseldorf.

JOHANNA. — Eh bien... (*Brusquement.*) Ils sont morts.

FRANTZ, *au plafond.* — Crabes, ils étaient sept cents. Sept cents pauvres gosses sans feu ni lieu... (*Il s'arrête.*) Ma chère amie, je me fous de ces orphelins. Qu'on les enterre au plus vite ! Bon débarras. (*Un temps.*) Et voilà ! Voilà ce que je suis devenu par votre faute : un mauvais Allemand.

JOHANNA. — Par ma faute ?

FRANTZ. — J'aurais dû savoir qu'elle déréglerait tout. Pour chasser le temps de cette chambre, il m'a fallu cinq années ; pour l'y ramener, vous n'avez eu besoin que d'un instant. (*Il montre le bracelet.*) Cette bête câline qui ronronne autour de mon poignet et que je fourre dans ma poche quand j'entends frapper Leni, c'est le Temps Universel, le Temps de l'horloge parlante, des indicateurs et des observatoires. Mais qu'est-ce que vous voulez que j'en fasse ? Est-ce que je suis universel, moi ? (*Regardant la montre.*) Je trouve ce cadeau suspect.

JOHANNA. — Eh bien, rendez-le-moi !

FRANTZ. — Pas du tout ! Je le garde. Je me

demande seulement pourquoi vous me l'avez fait.

JOHANNA. — Puisque je vis encore, autant que vous viviez.

FRANTZ. — Qu'est-ce que c'est vivre ? Vous attendre ? Je n'attendais plus rien avant mille ans. Cette lampe ne s'éteint pas ; Leni vient quand elle veut ; je dormais au petit bonheur, quand le sommeil voulait bien me prendre : en un mot, je ne savais jamais l'heure. (*Avec humeur.*) A présent, c'est la bousculade des jours et des nuits. (*Coup d'œil à la montre.*) Quatre heures vingt-cinq ; l'ombre s'allonge, la journée se fane : je déteste les après-midi. Quand vous partirez, il fera nuit : ici, en pleine clarté ! Et j'aurai peur. (*Brusquement.*) Ces pauvres petits quand va-t-on les mettre en terre ?

JOHANNA. — Lundi, je crois.

FRANTZ. — Il faudrait une chapelle ardente à ciel ouvert, dans les ruines de l'église. Sept cents petits cercueils veillés par une foule en haillons ! (*Il la regarde.*) Vous ne vous êtes pas fardée ?

JOHANNA. — Comme vous voyez.

FRANTZ. — Un oubli ?

JOHANNA. — Non. Je ne comptais pas venir.

FRANTZ, *violent.* — Quoi ?

JOHANNA. — C'est le jour de Werner. (*Un temps.*) Eh bien, oui : le samedi.

FRANTZ. — Qu'a-t-il besoin d'un jour, il a toutes les nuits. Le samedi ?... Ah, oui : la semaine anglaise. (*Un temps.*) Et le dimanche aussi, naturellement !

JOHANNA. — Naturellement !

FRANTZ. — Si je vous comprends, nous serions un samedi. Ah, Madame, la montre ne le dit pas :

il faut m'offrir un agenda. (*Il ricane un peu puis, brusquement.*) Deux jours sans vous ? Impossible.

JOHANNA. — Pensez-vous que je priverais mon mari des seuls moments que nous puissions vivre ensemble ?

FRANTZ. — Pourquoi pas ? (*Elle rit sans lui répondre.*) Il a des droits sur vous ? Je regrette, mais j'en ai, moi aussi.

JOHANNA, *avec une sorte de violence.* — Vous ? Aucun. Pas le moindre !

FRANTZ. — Est-ce moi qui suis allé vous chercher ? (*Criant.*) Quand comprendrez-vous que ces attentes mesquines me détournent de mon office. Les crabes sont perplexes, ils se méfient : les faux témoins triomphent. (*Comme une insulte.*) Dalila !

JOHANNA, *éclatant d'un rire mauvais.* — Pfou ! (*Elle va vers lui et le regarde avec insolence.*) Et voilà Samson ? (*Riant de plus belle.*) Samson ! Samson ! (*Cessant de rire.*) Je le voyais autrement.

FRANTZ, *formidable.* — C'est moi. Je porte les siècles ; si je me redresse, ils s'écrouleront. (*Un temps. Voix naturelle, ironie amère.*) D'ailleurs c'était un pauvre homme, j'en suis convaincu. (*Il marche à travers la chambre.*) Quelle dépendance ! (*Un silence. Il s'assied.*) Madame, vous me gênez.

                                        Un temps.

JOHANNA. — Je ne vous gênerai plus.

FRANTZ. — Qu'avez-vous fait ?

JOHANNA. — J'ai tout dit à Werner.

FRANTZ. — Tiens ! Pourquoi donc ?

JOHANNA, *amère.* — Je me le demande.

FRANTZ. — Il a bien pris la chose ?

JOHANNA. — Il l'a prise fort mal.

FRANTZ, *inquiet, nerveux.* — Il nous quitte ? Il vous emmène ?

JOHANNA. — Il reste ici.

FRANTZ, *rasséréné.* — Tout va bien. (*Il se frotte les mains.*) Tout va très bien.

JOHANNA, *ironie amère.* — Et vous ne me quittez pas des yeux ! Mais qu'est-ce que vous voyez ? (*Elle s'approche, lui prend la tête dans les mains et l'oblige à la regarder.*) Regardez-moi. Oui. Comme cela. A présent, osez dire que tout va très bien.

FRANTZ, *il la regarde et se dégage.* — Je vois, oui, je vois ! Vous regrettez Hambourg. La vie facile. L'admiration des hommes et leurs désirs. (*Haussant les épaules.*) Cela vous regarde.

JOHANNA, *triste et dure.* — Samson n'était qu'un pauvre homme.

FRANTZ. — Oui. Oui. Oui. Un pauvre homme.
> *Il se met à marcher de côté.*

JOHANNA. — Qu'est-ce que vous faites ?

FRANTZ, *d'une voix rocailleuse et profonde.* — Je fais le crabe. (*Stupéfait de ce qu'il vient de dire.*) Hein, quoi ? (*Revenant vers Johanna, voix naturelle.*) Pourquoi suis-je un pauvre homme ?

JOHANNA. — Parce que vous ne comprenez rien. (*Un temps.*) Nous allons souffrir l'Enfer.

FRANTZ. — Qui ?

JOHANNA. — Werner, vous et moi. (*Un bref silence.*) Il reste ici par jalousie.

FRANTZ, *stupéfait.* — Quoi ?

JOHANNA. — Par jalousie. Est-ce clair ? (*Un temps. Haussement d'épaules.*) Vous ne savez même pas ce que c'est. (*Rire de Frantz.*) Il m'enverra chez vous tous les jours, même le dimanche.

Il se martyrisera, aux chantiers, dans son grand
bureau de ministre. Et le soir, je paierai.

FRANTZ, *sincèrement surpris*. — Je vous demande
pardon, chère amie. Mais de *qui* est-il jaloux ?
(*Elle hausse les épaules. Il sort la photo et la
regarde.*) De moi ? (*Un temps.*) Lui avez-vous
dit... ce que j'étais devenu ?

JOHANNA. — Je le lui ai dit.

FRANTZ. — Eh bien, alors ?

JOHANNA. — Eh bien, il est jaloux.

FRANTZ. — C'est de la perversité ! Je suis un
malade, un fou peut-être ; je me cache. La guerre
m'a cassé, Madame.

JOHANNA. — Elle n'a pas cassé votre orgueil.

FRANTZ. — Et cela suffit pour qu'il me jalouse ?

JOHANNA. — Oui.

FRANTZ. — Dites-lui que mon orgueil est en
miettes. Dites que je fanfaronne pour me défendre.
Tenez ; je vais m'abaisser à l'extrême : dites à
Werner que je suis jaloux.

JOHANNA. — De lui ?

FRANTZ. — De sa liberté, de ses muscles, de son
sourire, de sa femme, de sa bonne conscience.
(*Un temps.*) Hein ? Quel baume pour son amour-
propre !

JOHANNA. — Il ne me croira pas.

FRANTZ. — Tant pis pour lui. (*Un temps.*) Et
vous ?

JOHANNA. — Moi ?

FRANTZ. — Est-ce que vous me croyez ?

JOHANNA, *incertaine, agacée*. — Mais non.

FRANTZ. — Madame, des indiscrétions ont été
commises : je suis au courant, minute par minute,
de votre vie privée.

JOHANNA, *haussant les épaules.* — Leni vous ment.

FRANTZ. — Leni ne parle jamais de vous. (*Désignant sa montre.*) C'est la babillarde : elle raconte tout. Dès que vous m'avez quitté, elle cause : huit heures et demie, dîner de famille ; dix heures, chacun se retire, tête à tête avec votre mari. Onze heures, toilette nocturne, Werner se couche, vous prenez un bain. Minuit, vous entrez dans son lit.

JOHANNA, *rire insolent.* — Dans son lit. (*Un temps.*) Non.

FRANTZ. — Des lits jumeaux ?

JOHANNA. — Oui.

FRANTZ. — Sur lequel faites-vous l'amour ?

JOHANNA, *exaspérée, avec insolence.* — Tantôt sur l'un, tantôt sur l'autre.

FRANTZ, *grognant.* — Hon ! (*Il regarde la photo.*) Quatre-vingts kilos ! Il doit vous écraser, l'athlète ! Vous aimez cela ?

JOHANNA. — Si je l'ai choisi, c'est que je préfère les athlètes aux gringalets.

FRANTZ, *il regarde la photo en grognant puis la remet dans sa poche.* — Soixante heures que je n'ai pas fermé l'œil.

JOHANNA. — Pourquoi ?

FRANTZ. — Vous ne coucherez pas avec lui pendant mon sommeil !

JOHANNA, *rire sec.* — Eh bien, ne dormez plus jamais !

FRANTZ. — C'est mon intention. Cette nuit, quand il vous prendra, vous saurez que je veille.

JOHANNA, *violente.* — Je regrette mais je vous priverai de ces sales plaisirs solitaires. Dormez cette nuit : Werner ne me touchera pas.

FRANTZ, *déconcerté.* — Ah !

JOHANNA. — Cela vous déçoit ?

FRANTZ. — Non.

JOHANNA. — Il ne me touchera plus tant que nous resterons ici par sa faute. (*Un temps.*) Savez-vous ce qu'il s'imagine ? Que vous m'avez séduite ! (*Insultante.*) Vous ! (*Un temps.*) Vous vous ressemblez !

FRANTZ, *montrant la photo.* — Mais non.

JOHANNA. — Mais si. Deux Gerlach, deux abstraits, deux frères visionnaires ! Qu'est-ce que je suis, moi ? Rien : un instrument de supplice. Chacun cherche sur moi les caresses de l'autre. (*Elle s'approche de Frantz.*) Regardez ce corps. (*Elle lui prend la main et l'oblige à la poser sur son épaule.*) Autrefois, quand je vivais chez les hommes, ils n'avaient pas besoin de messes noires pour le désirer. (*Elle s'éloigne et le repousse. Un temps. Brusquement.*) Le père veut vous parler.

FRANTZ, *ton neutre.* — Ah !

JOHANNA. — Si vous le recevez, il déliera Werner de son serment.

FRANTZ, *calme et neutre.* — Et puis ? Vous vous en irez ?

JOHANNA. — Cela ne dépendra plus que de Werner.

FRANTZ, *même jeu.* — Vous souhaitez cette entrevue ?

JOHANNA. — Oui.

FRANTZ, *même jeu.* — Il faut que je renonce à vous voir ?

JOHANNA. — Naturellement.

FRANTZ, *même jeu.* — Que deviendrai-je ?

JOHANNA. — Vous rentrerez dans votre Eternité.

FRANTZ. — Bien. (*Un temps.*) Allez dire à mon père...

JOHANNA, *brusquement.* — Non !

FRANTZ. — Hé ?

JOHANNA, *avec une violence chaleureuse.* — Non ! Je ne lui dirai rien.

FRANTZ, *impassible, sentant qu'il a gagné.* — Il faut que je lui donne ma réponse.

JOHANNA, *même jeu.* — Inutile : je ne la transmettrai pas.

FRANTZ. — Pourquoi m'avoir transmis sa demande ?

JOHANNA. — C'est malgré moi.

FRANTZ. — Malgré vous ?

JOHANNA, *petit rire, regard encore chargé de haine.* — Figurez-vous que j'avais envie de vous tuer.

FRANTZ, *très aimable.* — Oh ! Depuis longtemps ?

JOHANNA. — Depuis cinq minutes.

FRANTZ. — Et c'est déjà fini ?

JOHANNA, *souriante et calme.* — Il me reste le désir de vous labourer les joues. (*Elle lui griffe le visage à deux mains. Il se laisse faire.*) Comme ceci.

> *Elle laisse retomber ses mains et s'éloigne.*

FRANTZ, *toujours aimable.* — Cinq minutes ! Vous avez de la chance : moi, l'envie de vous tuer me dure toute la nuit.

> *Un silence. Elle s'assied sur le lit et regarde dans le vide.*

JOHANNA, *à elle-même.* — Je ne partirai plus.

FRANTZ, *qui la guette.* — Plus jamais ?

JOHANNA, *sans le regarder.* — Plus jamais.

 Elle a un petit rire égaré, elle ouvre les deux mains comme si elle laissait échapper un objet et regarde à ses pieds. Frantz l'observe et change de maintien : il redevient maniaque et gourmé comme au IIe Acte.

FRANTZ. — Restez avec moi, alors. Tout à fait.

JOHANNA. — Dans cette chambre ?

FRANTZ. — Oui.

JOHANNA. — Sans jamais en sortir ? (*Signe de Frantz.*) La séquestration ?

FRANTZ. — Cela même. (*Il parle en marchant. Johanna le suit des yeux. A mesure qu'il parle, elle se reprend et se durcit : elle comprend que Frantz ne cherche qu'à protéger son délire.*) J'ai vécu douze ans sur un toit de glace au-dessus des sommets ; j'avais précipité dans la nuit la fourmillante verroterie.

JOHANNA, *déjà méfiante.* — Quelle verroterie ?

FRANTZ. — Le monde, chère Madame. Le monde où vous vivez. (*Un temps.*) Cette pacotille d'iniquité ressuscite. Par vous : Quand vous me quittez, elle m'entoure parce que vous êtes dedans. Vous m'écrasez aux pieds de la Suisse saxonne, je divague dans un pavillon de chasse à cinq mètres au-dessus de la mer. L'eau renaît dans la baignoire autour de votre chair. A présent l'Elbe coule et l'herbe croît. Une femme est une traître, Madame.

JOHANNA, *sombre et durcie.* — Si je trahis quelqu'un ce n'est pas vous.

FRANTZ. — C'est moi ! C'est moi *aussi*, agent

double ! Vingt heures sur vingt-quatre vous voyez, vous sentez, vous pensez sous mes semelles avec tous les autres : vous me soumettez aux lois du vulgaire. (*Un temps.*) Si je vous tiens sous clé, calme absolu : le monde retournera aux abîmes, vous ne serez que ce que vous êtes : (*la désignant*) ça ! Les crabes me rendront leur confiance et je leur parlerai.

JOHANNA, *ironique.* — Me parlerez-vous quelquefois ?

FRANTZ, *montrant le plafond.* — Nous leur parlerons ensemble. (*Johanna éclate de rire. Il la regarde, déconcerté.*) Vous refusez ?

JOHANNA. — Qu'y a-t-il à refuser ? Vous me racontez un cauchemar : j'écoute. Voilà tout.

FRANTZ. — Vous ne quitterez pas Werner ?

JOHANNA. — Je vous ai dit que non.

FRANTZ. — Alors, quittez-moi. Voici la photo de votre mari. (*Il la lui donne, elle la prend.*) Quant à la montre, elle entrera dans l'Eternité au quatrième top exactement. (*Il défait le bracelet et regarde le cadran.*) Hop ! (*Il la jette sur le sol.*) Désormais, il sera quatre heures trente à toute heure. En souvenir de vous, Madame. Adieu. (*Il va à la porte, ôte le verrou, lève la barre. Long silence. Il s'incline et lui montre la porte. Elle va jusqu'à l'entrée sans se presser, tire le verrou et baisse la barre. Puis elle revient vers lui, calme et sans sourire, avec une réelle autorité.*) Bon ! (*Un temps.*) Qu'allez-vous faire ?

JOHANNA. — Ce que je fais depuis lundi : la navette.

Geste.

FRANTZ. — Et si je n'ouvrais pas ?

JOHANNA, *tranquille.* — Vous ouvrirez.

> *Frantz se baisse, ramasse la montre et la porte à son oreille. Son visage et sa voix changent : il parle avec une sorte de chaleur. A partir de cette réplique, une vraie complicité s'établit entre eux pour un moment.*

FRANTZ. — Nous avons de la chance : elle marche. (*Il regarde le cadran.*) Quatre heures trente et une ; l'Eternité plus une minute. Tournez, tournez, les aiguilles : il faut vivre. (*A Johanna.*) Comment ?

JOHANNA. — Je ne sais pas.

FRANTZ. — Nous serons trois fous furieux.

JOHANNA. — Quatre.

FRANTZ. — Quatre ?

JOHANNA. — Si vous refusez de le recevoir, le père avertira Leni.

FRANTZ. — Il en est bien capable.

JOHANNA. — Qu'arriverait-il ?

FRANTZ. — Leni n'aime pas les complications.

JOHANNA. — Alors ?

FRANTZ. — Elle simplifiera.

JOHANNA, *prenant dans sa main le revolver qui se trouve sur la table de Frantz.* — Avec ça ?

FRANTZ. — Avec ça ou autrement.

JOHANNA. — En pareil cas, les femmes tirent sur la femme.

FRANTZ. — Leni n'est femme qu'à demi.

JOHANNA. — Cela vous ennuierait de mourir ?

FRANTZ. — Franchement, oui. (*Geste au plafond.*) Je n'ai pas trouvé les mots qu'ils peuvent comprendre. Et vous ?

JOHANNA. — Je n'aimerais pas que Werner reste seul.

FRANTZ, *petit rire, en conclusion.* — Nous ne pouvons ni mourir, ni vivre.

JOHANNA, *même jeu.* — Ni nous voir ni nous quitter.

FRANTZ. — Nous sommes drôlement coincés.

Il s'assied.

JOHANNA. — Drôlement.

> *Elle s'assied sur le lit. Silence. Frantz tourne le dos à Johanna et frotte deux coquilles l'une contre l'autre.*

FRANTZ, *tournant le dos à Johanna.* — Il faut qu'il y ait une issue.

JOHANNA. — Il n'y en a pas.

FRANTZ, *avec force.* — Il faut qu'il y en ait une ! (*Il frotte ses coquilles avec une violence maniaque et désespérée.*) Hein, quoi ?

JOHANNA. — Laissez donc vos coquilles. C'est insupportable.

FRANTZ. — Taisez-vous ! (*Il jette les coquilles contre le portrait de Hitler.*) Voyez l'effort que je fais. (*Il se retourne à demi vers elle et lui montre ses mains tremblantes.*) Savez-vous ce qui me fait peur ?

JOHANNA. — L'issue ? (*Signe affirmatif de Frantz, toujours crispé.*) Qu'est-ce que c'est ?

FRANTZ. — Doucement. (*Il se lève et marche avec agitation.*) Ne me pressez pas. Toutes les voies sont barrées, même celle du moindre mal. Reste un chemin qu'on ne barre jamais, vu qu'il est impraticable : celui du pire. Nous le prendrons.

JOHANNA, *dans un cri.* — Non !

FRANTZ. — Vous voyez bien que vous connaissez la sortie.

JOHANNA, *avec passion.* — Nous avons été heureux.

FRANTZ. — Heureux en Enfer ?

JOHANNA, *elle enchaîne passionnément.* — Heureux en Enfer oui. Malgré vous, malgré moi. Je vous en prie, je vous en supplie, restons ce que nous sommes. Attendons sans un mot, sans un geste. (*Elle le prend par le bras.*) Ne changeons pas.

FRANTZ. — Les autres changent, Johanna, les autres vont nous changer. (*Un temps.*) Croyez-vous que Leni nous laissera vivre ?

JOHANNA, *avec violence.* — Leni, je me charge d'elle. S'il faut tirer, je tirerai la première.

FRANTZ. — Ecartons Leni. Nous voilà seuls et face à face : qu'arrivera-t-il ?

JOHANNA, *avec la même passion.* — Rien n'arrivera ! Rien ne changera ! Nous serons...

FRANTZ. — Il arrivera que vous me détruirez.

JOHANNA, *même jeu.* — Jamais !

FRANTZ. — Vous me détruirez lentement, sûrement, par votre seule présence. Déjà ma folie se délabre ; Johanna, c'était mon refuge ; que deviendrai-je quand je verrai le jour ?

JOHANNA, *même jeu.* — Vous serez guéri.

FRANZ, *bref éclat.* — Ha ! (*Un temps. Rire dur.*) Je serai gâteux.

JOHANNA. — Je ne vous ferai jamais de mal ; je ne songe pas à vous guérir : votre folie, c'est ma cage. J'y tourne en rond.

FRANTZ, *avec une tendresse amère et triste.* —

Vous tournez, petit écureuil ? Les écureuils ont de bonnes dents : vous rongerez les barreaux.

JOHANNA. — C'est faux ! Je n'en ai pas même le désir. Je me plie à tous vos caprices.

FRANTZ. — Pour cela, oui. Mais cela se voit trop. Vos mensonges sont des aveux.

JOHANNA, crispée. — Je ne vous mens jamais !

FRANTZ. — Vous ne faites que cela. Généreusement. Vertueusement. Comme un brave petit soldat. Seulement vous mentez très mal. Pour bien mentir, voyez-vous, il faut être soi-même un mensonge : c'est mon cas. Vous, vous êtes vraie. Quand je vous regarde, je connais que la vérité existe et qu'elle n'est pas de mon bord. (Riant.) S'il y a des orphelins à Düsseldorf, je parie qu'ils sont gras comme des cailles !

JOHANNA, d'une voix mécanique et butée. — Ils sont morts ! L'Allemagne est morte !

FRANTZ, brutalement. — Taisez-vous ! (Un temps.) Eh bien ? Vous le connaissez, à présent, le chemin du pire ? Vous m'ouvrez les yeux parce que vous essayez de me les fermer. Et moi qui, chaque fois, vous déjoue, je me fais votre complice parce que... parce que je tiens à vous.

JOHANNA, qui s'est un peu reprise. — Donc chacun fait le contraire de ce qu'il veut ?

FRANTZ. — Exactement.

JOHANNA, d'une voix rogue et heurtée. — Eh bien ? Quelle est l'issue ?

FRANTZ. — Que chacun veuille ce qu'il est contraint de faire.

JOHANNA. — Il faut que je veuille vous détruire ?

FRANTZ. — Il faut que nous nous aidions à vouloir la Vérité.

JOHANNA, *même jeu.* — Vous ne la voudrez
jamais. Vous êtes truqué jusqu'aux os.

FRANTZ, *sec et distant.* — Eh ! ma chère, il fallait bien me défendre. (*Un temps. Plus chaleu-
reux.*) Je renoncerai sur l'heure à l'illusionnisme,
quand...

Il hésite.

JOHANNA. — Quand ?

FRANTZ. — Quand je vous aimerai plus que mes
mensonges, quand vous m'aimerez malgré ma
vérité.

JOHANNA, *ironiquement.* — Vous avez une
vérité ? Laquelle ? Celle que vous dites aux
crabes ?

FRANTZ, *bondissant sur elle.* — Quels crabes ?
Etes-vous folle ? Quels crabes ? (*Un temps. Il se
détourne.*) Ah ! oui. Eh bien, oui... (*D'un trait,
brusquement.*) Les crabes sont des hommes. (*Un
temps.*) Hein, quoi ? (*Il s'assied.*) Où ai-je été
chercher cela ? (*Un temps.*) Je le savais... autrefois... Oui, oui, oui. Mais j'ai tant de soucis. (*Un
temps. D'un ton décidé.*) De vrais hommes, bons
et beaux, à tous les balcons des siècles. Moi, je
rampais dans la cour ; je croyais les entendre :
« Frère, qu'est-ce que c'est que ça ? » Ça, c'était
moi... (*Il se lève. Salut militaire, garde à vous.
D'une voix forte.*) Moi, le Crabe. (*Il se tourne
vers Johanna et lui parle familièrement.*) Eh
bien, j'ai dit non : des hommes ne jugeront
pas mon temps. Que seront-ils, après tout ? Les
fils de nos fils. Est-ce qu'on permet aux mar-
mots de condamner leurs grands-pères ? J'ai re-
tourné la situation ; j'ai crié : « Voici l'homme ;
après moi, le déluge ; après le déluge, les crabes,

vous ! » Démasqués, tous ! les balcons grouillaient d'arthropodes. (*Solennel.*) Vous n'êtes pas sans savoir que l'espèce humaine est partie du mauvais pied : j'ai mis le comble à sa poisse fabuleuse en livrant sa dépouille mortelle au Tribunal des Crustacés. (*Un temps. Il marche de côté, lentement.*) Bon. Alors, ce seront des hommes. (*Il rit doucement, d'un air égaré et marche à reculons vers le portrait de Hitler.*) Des hommes, voyez-vous cela ! (*Brusquement hérissé.*) Johanna, je récuse leur compétence, je leur ôte cette affaire et je vous la donne. Jugez-moi.

JOHANNA, *avec plus de résignation que de surprise.* — Vous juger ?

FRANTZ, *criant.* — Vous êtes sourde ? (*La violence fait place à l'étonnement anxieux.*) Hein, quoi ? (*Il se reprend. Rire sec, presque fat, mais sinistre.*) Vous me jugerez, ma foi, vous me jugerez.

JOHANNA. — Hier encore, vous étiez le témoin. Le témoin de l'Homme.

FRANTZ. — Hier, c'était hier. (*Il se passe la main sur le front.*) Le témoin de l'Homme... (*Riant.*) Et qui voulez-vous que ce soit ? Voyons, Madame, c'est l'Homme, un enfant le devinerait. L'accusé témoigne pour lui-même. Je reconnais qu'il y a cercle vicieux. (*Avec une fierté sombre.*) Je suis l'Homme, Johanna ; je suis tout homme et tout l'Homme, je suis le Siècle (*brusque humilité bouffonne*), comme n'importe qui.

JOHANNA. — En ce cas je ferai le procès d'un autre.

FRANTZ. — De qui ?

JOHANNA. — De n'importe qui.

FRANTZ. — L'accusé promet d'être exemplaire :
je devais témoigner à décharge mais je me char-
gerai si vous voulez. (*Un temps.*) Bien entendu,
vous êtes libre. Mais si vous m'abandonnez sans
m'entendre et par peur de me connaître, vous
aurez porté sentence, bon gré, mal gré. Décidez.
(*Un temps. Il désigne le plafond.*) Je leur dis ce
qui me passe par la tête : jamais de réponse. Je
leur raconte des blagues, aussi, histoire de rire :
j'en suis encore à me demander s'ils les gobent
ou s'ils les retiennent contre moi. Une pyramide
de silence au-dessus de ma tête, un millénaire qui
se tait : ça me tue. Et s'ils m'ignorent ? S'ils
m'ont oublié ? Qu'est-ce que je deviens, moi, sans
tribunal ? Quel mépris ! — « Tu peux faire ce
que tu veux, on s'en fout ! » — Alors ? Je compte
pour du beurre ? Une vie qui n'est pas sanction-
née, la terre la boit. C'était l'Ancien Testament.
Voici le Nouveau. Vous serez l'avenir et le présent, le monde et moi-même ; hors de vous, rien :
vous me ferez oublier les siècles, je vivrai. Vous
m'écouterez, je surprendrai vos regards, je vous
entendrai me répondre ; un jour, peut-être, après
des années, vous reconnaîtrez mon innocence et je
le saurai. Quelle fête carillonnée : vous me serez
tout et tout m'acquittera. (*Un temps.*) Johanna !
Est-ce que c'est possible ?

Un temps.

JOHANNA. — Oui.

FRANTZ. — On peut encore m'aimer ?

JOHANNA, *sourire triste mais avec une profonde
sincérité.* — Malheureusement.

Frantz se lève. Il a l'air délivré, pres-

que heureux. Il va vers Johanna et la prend dans ses bras.

FRANTZ. — Je ne serai plus jamais seul... (*Il va pour l'embrasser puis, brusquement, il l'éloigne et reprend son air maniaque et dur. Johanna le regarde, comprend qu'il est entré dans sa solitude et se durcit à son tour. Avec une ironie mauvaise mais qui ne porte que sur lui-même.*) Je vous demande pardon, Johanna ; il est un petit peu tôt pour corrompre le juge que je me suis donné.

JOHANNA. — Je ne suis pas votre juge. Ceux qu'on aime, on ne les juge pas.

FRANTZ. — Et si vous cessiez de m'aimer ? Est-ce que ce ne serait pas le jugement ? Le jugement dernier ?

JOHANNA. — Comment le pourrais-je ?

FRANTZ. — En apprenant qui je suis.

JOHANNA. — Je le sais déjà.

FRANTZ, *se frottant les mains d'un air réjoui.* — Oh ! non. Pas du tout ! Pas du tout ! (*Un temps. Il a l'air tout à fait fou.*) Un jour viendra, pareil à tous les jours, je parlerai de moi, vous m'écouterez et, tout d'un coup, l'amour s'écroulera ! Vous me regarderez avec horreur et je me sentirai redevenir... (*Il se met à quatre pattes et marche de côté.*) ... crabe !

JOHANNA, *le regardant avec horreur.* — Arrêtez !

FRANTZ, *à quatre pattes.* — Vous ferez ces yeux ! Justement ceux-là ! (*Il se relève prestement.*) Condamné, hein ? Condamné sans recours ! (*D'une voix changée, cérémonieuse et optimiste.*) Bien entendu, il est également possible que je fasse l'objet d'un acquittement.

JOHANNA, *méprisante et tendue.* — Je ne suis pas sûre que vous le souhaitiez.

FRANTZ. — Madame, je souhaite en finir : d'une manière ou d'une autre.

Un temps.

JOHANNA. — Vous avez gagné, bravo ! Si je pars, je vous condamne ; si je reste, vous mettez la méfiance entre nous ; elle brille déjà dans vos yeux. Eh bien, suivons le programme : veillons à nous dégrader ensemble, avilissons-nous bien soigneusement et l'un par l'autre ; nous ferons de notre amour un instrument de torture ; nous boirons, n'est-ce pas ? Vous vous remettrez au champagne ; moi, c'était le whisky, j'en apporterai. Chacun sa bouteille, face à l'autre et seul. (*Avec un sourire mauvais.*) Savez-vous ce que nous serons, témoin de l'Homme ? Un couple comme tous les couples ! (*Elle se verse du champagne et lève la coupe.*) Je bois à nous ! (*Elle boit d'un trait et jette la coupe contre le portrait de Hitler. La coupe se brise en heurtant le portrait. Johanna va prendre un fauteuil sur le tas de meubles brisés, le redresse et s'assied.*) Alors ?

FRANTZ, *déconcerté.* — Johanna... Est-ce que...

JOHANNA. — C'est moi qui interroge. Alors ? Qu'avez-vous à dire ?

FRANTZ. — Vous ne m'avez pas compris. S'il n'y avait que nous deux, je vous jure...

JOHANNA. — Qu'y a-t-il d'autre ?

FRANTZ, *péniblement.* — Leni, ma sœur. Si je me décide à parler, c'est pour nous sauver d'elle. Je dirai... ce qui est à dire, sans m'épargner mais à ma façon, petit à petit ; cela prendra des mois, des années, peu importe ! Je ne demande que votre confiance et vous aurez la mienne, si vous me promettez de ne plus croire que moi.

JOHANNA, *elle le regarde longuement. Plus douce.* — Bon. Je ne croirai que vous.

FRANTZ, *avec un peu de solennité, mais sincèrement.* — Tant que vous tiendrez cette promesse, Leni sera sans pouvoir sur nous. (*Il va s'asseoir.*) J'ai eu peur. Vous étiez dans mes bras, je vous désirais, j'allais vivre... et, tout d'un coup, j'ai vu ma sœur et je me suis dit : elle nous cassera. (*Il sort un mouchoir de sa poche et s'éponge le front.*) Ouf ! (*D'une voix douce.*) C'est l'été, n'est-ce pas ? Il doit faire chaud. (*Un temps. Le regard dans le vide.*) Savez-vous qu'il avait fait de moi une assez formidable machine ?

JOHANNA. — Le père ?

FRANTZ, *même jeu.* — Oui. Une machine à commander. (*Petit rire. Un temps.*) Un été de plus ! et la machine tourne encore. A vide, comme toujours. (*Il se lève.*) Je vous dirai ma vie ; mais ne vous attendez pas à de grandes scélératesses. Oh, non : même pas cela. Savez-vous ce que je me reproche : je n'ai rien fait. (*La lumière baisse lentement.*) Rien ! Rien ! Jamais !

SCÈNE III

FRANTZ, JOHANNA, UNE FEMME

UNE VOIX DE FEMME, *doucement.* — Soldat !

JOHANNA, *sans entendre la femme.* — Vous avez fait la guerre.

FRANTZ. — Pensez-vous !

Il commence à faire sombre.

VOIX DE FEMME, *plus fort.* — Soldat !

FRANTZ, *debout sur le devant de la scène, seul visible. Johanna, assise sur le fauteuil est entrée dans l'ombre.* — La guerre, on ne la fait pas : c'est elle qui nous fait. Tant qu'on se battait, je rigolais bien : j'étais un civil en uniforme. Une nuit, je suis devenu soldat pour toujours. (*Il prend derrière lui, sur la table, une casquette d'officier et s'en coiffe d'un geste brusque.*) Un pauvre gueux de vaincu, un incapable. Je revenais de Russie, je traversais l'Allemagne en me cachant, je suis entré dans un village en ruines.

LA FEMME, *toujours invisible, plus fort.* — Soldat !

FRANTZ. — Hein ? (*Il se retourne brusquement. De la main gauche, il tient une torche électrique ; de la main droite, il tire son revolver de son étui, prêt à tirer ; la torche électrique n'est pas allumée.*) Qui m'appelle ?

LA FEMME. — Cherche bien.

FRANTZ. — Combien êtes-vous ?

LA FEMME. — A ta hauteur, plus personne. Par terre, il y a moi. (*Frantz allume brusquement sa torche en la dirigeant vers le sol. Une femme noire est accotée contre le mur, à demi couchée sur le parquet.*) Eteins ça, tu m'éblouis. (*Frantz éteint. Reste une clarté diffuse qui les enveloppe et qui les rend visibles.*) Ha ! Ha ! Tire ! Tire donc ! Finis ta guerre en assassinant une Allemande !

Frantz s'aperçoit qu'il a, sans même y prendre garde, braqué son revolver

*contre la femme. Il le remet avec horreur
dans sa poche.*

FRANTZ. — Que fais-tu là ?

LA FEMME. — Tu vois ; je suis au pied du mur.
(*Fièrement.*) C'est mon mur. Le plus solide du
village. Le seul qui ait tenu.

FRANTZ. — Viens avec moi.

LA FEMME. — Allume ta torche. (*Il l'allume, le
faisceau lumineux éclairant le sol. Il fait sortir
de l'ombre une couverture qui enveloppe la
femme des pieds à la tête.*) Regarde. (*Elle soulève
un peu la couverture. Il dirige la torche vers ce
qu'elle lui montre et que le public ne voit pas.
Puis avec un grognement, brusquement il éteint.*)
Eh oui : c'étaient mes jambes.

FRANTZ. — Que puis-je faire pour toi ?

LA FEMME. — T'asseoir une minute. (*Il s'assied
près d'elle.*) J'ai mis au pied du mur un soldat de
chez nous ! (*Un temps.*) Je ne demandais plus
rien d'autre. (*Un temps.*) J'espérais que ce serait
mon frère, mais il a été tué. En Normandie. Tant
pis ; tu feras l'affaire. Je lui aurais dit :
« Regarde ! (*Montrant les ruines du village.*) C'est
ton ouvrage. »

FRANTZ. — Son ouvrage ?

LA FEMME, *directe, sur Frantz.* — Et le tien,
mon garçon !

FRANTZ. — Pourquoi ?

LA FEMME, *c'est une évidence.* — Tu t'es laissé
battre.

FRANTZ. — Ne dis pas de bêtises. (*Il se lève
brusquement, face à la femme. Son regard rencontre une affiche, jusqu'alors invisible et qu'un
projecteur éclaire. Elle est collée sur le mur, à un*

mètre soixante-quinze du sol, à droite de la femme : « *Les coupables, c'est vous !* ») Encore ! Ils la mettent donc partout !

> *Il va pour la déchirer.*

LA FEMME, *la tête renversée en arrière, le regardant.* — Laisse-la ! Laisse, je te dis, c'est mon mur ! (*Frantz s'éloigne.*) Les coupables, c'est vous ! (*Elle lit et le désigne.*) Toi, mon frère, vous tous !

FRANTZ. — Tu es d'accord avec eux ?

LA FEMME. — Comme la nuit avec le jour. Ils racontent au Bon Dieu que nous sommes des cannibales et le Bon Dieu les écoute parce qu'ils ont gagné. Mais on ne m'ôtera pas de l'idée que le vrai cannibale, c'est le vainqueur. Avoue-le, soldat : tu ne voulais pas manger de l'homme.

FRANTZ, *avec lassitude.* — Nous en avons détruit ! Détruit ! Des villes et des villages ! Des capitales !

LA FEMME. — S'ils vous ont battus, c'est qu'ils en ont détruit plus que vous. (*Frantz hausse les épaules.*) As-tu mangé de l'homme ?

FRANTZ. — Et ton frère ? Est-ce qu'il en a mangé ?

LA FEMME. — Sûrement pas : il gardait les bonnes manières. Comme toi.

FRANTZ, *après un silence.* — On t'a parlé des camps ?

LA FEMME. — Desquels ?

FRANTZ. — Tu sais bien : les camps d'extermination.

LA FEMME. — On m'en a parlé.

FRANTZ. — Si l'on t'apprenait que ton frère, au moment de sa mort, était gardien dans l'un de ces camps, tu serais fière ?

LA FEMME, *farouche*. — Oui. Ecoute-moi bien, mon garçon, si mon frère avait des morts par milliers sur la conscience, si, parmi ces morts, il se trouvait des femmes pareilles à moi, des enfants pareils à ceux qui pourrissent sous ces pierres, je serais fière de lui : je saurais qu'il est au Paradis et qu'il a le droit de penser : « Moi, j'ai fait ce que j'ai pu ! » Mais je le connais : il nous aimait moins que son honneur, moins que ses vertus. Et voilà ! (*Geste circulaire. Avec violence.*) Il fallait la Terreur — que vous dévastiez tout !

FRANTZ. — Nous l'avons fait.

LA FEMME. — Jamais assez ! Pas assez de camps ! Pas assez de bourreaux ! Tu nous a trahis en donnant ce qui ne t'appartenait pas : chaque fois que tu épargnais la vie d'un ennemi, fût-il au berceau, tu prenais une des nôtres ; tu as voulu combattre sans haine et tu m'as infectée de la haine qui me ronge le cœur. Où est ta vertu, mauvais soldat ? Soldat de la déroute, où est ton honneur ? Le coupable, c'est toi ! Dieu ne te jugera pas sur tes actes, mais sur ce que tu n'as pas osé faire : sur les crimes qu'il fallait commettre et que tu n'as pas commis ! (*L'obscurité s'est faite peu à peu. Seule l'affiche reste visible. La voix répète en s'éloignant.*) Le coupable, c'est toi ! C'est toi ! C'est toi !

L'affiche s'éteint.

SCÈNE IV

FRANTZ, JOHANNA

VOIX DE FRANTZ, *dans la nuit.* — Johanna !
>*Lumière. Frantz est debout, tête nue, près de sa table. Johanna est assise dans le fauteuil. La femme a disparu.*

JOHANNA, *sursautant.* — Eh bien ?
>*Frantz va vers elle. Il la regarde longuement.*

FRANTZ. — Johanna !
>*Il la regarde, essayant de chasser ses souvenirs.*

JOHANNA, *se rejetant en arrière avec un peu de sécheresse.* — Qu'est-elle devenue ?

FRANTZ. — La femme ? Cela dépend.

JOHANNA, *surprise.* — De quoi donc ?

FRANTZ. — De mes rêves.

JOHANNA. — Ce n'était pas un souvenir ?

FRANTZ. — C'est aussi un rêve. Tantôt je l'emmène, tantôt je l'abandonne et tantôt... De toute façon, elle crève, c'est un cauchemar. (*Le regard fixe, pour lui-même.*) Je me demande si je ne l'ai pas tuée.

JOHANNA, *sans surprise, mais avec peur et dégoût.* — Ha !
>*Il se met à rire.*

FRANTZ, *un geste pour appuyer sur une gâchette imaginaire.* — Comme ça. (*Défi souriant.*) Vous l'auriez laissée souffrir ? Sur toutes les routes il y a des crimes. Des crimes préfabriqués qui n'attendent que leur criminel. Le vrai soldat passe et s'en charge. (*Brusquement.*) L'histoire vous déplaît ? Je n'aime pas vos yeux ! Ah ! Donnez-lui la fin qu'il vous plaira. (*Il s'éloigne d'elle à grands pas. Près de la table, il se retourne.*) « Le coupable, c'est toi ! » Qu'en dites-vous ? Elle avait raison ?

JOHANNA, *haussant les épaules.* — Elle était folle.

FRANTZ. — Oui. Qu'est-ce que cela prouve ?

JOHANNA, *force et clarté.* — Nous avons perdu parce que nous manquions d'hommes et d'avions !

FRANTZ, *l'interrompant.* — Je sais ! Je sais ! Cela regarde Hitler. (*Un temps.*) Je vous parle de moi. La guerre était mon lot : jusqu'où devais-je l'aimer ? (*Elle veut parler.*) Réfléchissez ! Réfléchissez bien : votre réponse sera décisive.

JOHANNA, *mal à l'aise, agacée et durcie.* — C'est tout réfléchi.

FRANTZ, *un temps.* — Si j'avais commis en effet tous les forfaits qu'on a jugés à Nuremberg...

JOHANNA. — Lesquels ?

FRANTZ. — Est-ce que je sais ! Génocide et tout le bordel !

JOHANNA, *haussant les épaules.* — Pourquoi les auriez-vous commis ?

FRANTZ. — Parce que la guerre était mon lot : quand nos pères ont engrossé nos mères, ils leur ont fait des soldats. Je ne sais pas pourquoi.

JOHANNA. — Un soldat c'est un homme.

FRANTZ. — C'est d'abord un soldat. Alors ? M'aimeriez-vous encore ? (*Elle veut parler.*) Mais prenez votre temps, nom de Dieu ! (*Elle le regarde en silence.*) Eh bien ?

JOHANNA. — Non.

FRANTZ. — Vous ne m'aimeriez plus ? (*Signe de Johanna.*) Je vous ferais horreur ?

JOHANNA. — Oui.

FRANTZ, *éclatant de rire*. — Bon, bon, bon ! Rassurez-vous, Johanna : vous avez affaire à un puceau. Innocence garantie. (*Elle reste défiante et dure.*) Vous pouvez bien me sourire : j'ai tué l'Allemagne par sensiblerie.

> *La porte de la salle de bains s'ouvre. Klages entre, referme la porte et va s'asseoir, à pas lents, sur la chaise de Frantz. Frantz ni Johanna ne lui prêtent attention.*

SCÈNE V

FRANTZ, JOHANNA, KLAGES

FRANTZ. — Nous étions cinq cents près de Smolensk. Accrochés à un village. Commandant tué, capitaines tués : restaient nous deux, les deux lieutenants et un feldwebel. Drôle de triumvirat : le lieutenant Klages, c'était le fils d'un pasteur ; un idéaliste, dans les nuages... Heinrich, le feldwebel, avait les pieds sur terre, mais il était cent pour cent nazi. Les partisans nous coupaient de l'arrière : ils tenaient la route sous leur feu. Trois jours de vivres. On a trouvé deux paysans russes, on les a mis dans une grange et baptisé les prisonniers.

KLAGES, *accablé*. — Quelle brute !

FRANTZ, *sans se retourner*. — Eh ?

KLAGES. — Heinrich ! Je dis : quelle brute !

FRANTZ, *vague, même jeu*. — Ah oui...

KLAGES, *piteux et sinistre*. — Frantz, je suis dans un merdier ! (*Frantz se retourne brusquement vers lui*.) Les deux paysans, il s'est mis en tête de les faire parler.

FRANTZ. — Ah ! Ah ! (*Un temps*.) Et toi, tu ne veux pas qu'il les bouscule ?

KLAGES. — J'ai tort ?

FRANTZ. — La question n'est pas là.

KLAGES. — Où est-elle ?

FRANTZ. — Tu lui as défendu d'entrer dans la grange ? (*Signe de Klages*.) Donc, il ne faut pas qu'il y entre.

KLAGES. — Tu sais bien qu'il ne m'écoutera pas.

FRANTZ, *feignant l'étonnement indigné*. — Hein ?

KLAGES. — Je ne trouve pas les mots.

FRANTZ. — Hein ?

KLAGES. — Les mots pour le convaincre.

FRANTZ, *stupéfait*. — Et par-dessus le marché, tu veux qu'il soit convaincu ! (*Brutal*.) Traite-le comme un chien, fais-le ramper !

KLAGES. — Je ne peux pas. Si je méprise un homme, un seul, même un bourreau, je n'en respecterai plus aucun.

FRANTZ. — Si un subordonné, un seul refuse de t'obéir, tu ne seras plus obéi par aucun. Le respect de l'homme, je m'en moque, mais si tu fous la discipline en l'air, c'est la déroute, le massacre ou les deux à la fois.

KLAGES, *il se lève, va vers la porte, l'entrouvre*

et jette un coup d'œil au dehors. — Il est devant la grange : il guette. (*Il referme la porte et se tourne vers Frantz.*) Sauvons-les !

FRANTZ. — Tu les sauveras si tu sauves ton autorité.

KLAGES. — J'avais pensé...

FRANTZ. — Quoi ?

KLAGES. — Heinrich t'écoute comme le Bon Dieu.

FRANTZ. — Parce que je le traite comme un tas de merde : c'est logique.

KLAGES, *gêné.* — Si l'ordre venait de toi... (*Suppliant.*) Frantz !

FRANTZ. — Non. Les prisonniers, c'est ton rayon. Si je donne un ordre à ta place, je te déconsidère. Et si je suis tué dans une heure, après t'avoir coulé, Heinrich commandera seul. Ce sera la catastrophe : pour mes soldats parce qu'il est bête, pour tes prisonniers parce qu'il est méchant. (*Il traverse la salle et s'approche de Johanna.*) Et surtout pour Klages : tout lieutenant qu'il était, Heinrich l'aurait mis au trou.

JOHANNA. — Pourquoi ?

FRANTZ. — Klages souhaitait notre défaite.

KLAGES. — Je ne la souhaite pas : je la veux !

FRANTZ. — Tu n'as pas le droit !

KLAGES. — Ce sera l'effondrement de Hitler.

FRANTZ. — Et celui de l'Allemagne. (*Riant.*) Kaputt ! Kaputt ! (*Revenant à Johanna.*) C'était le champion de la restriction mentale ; il condamnait les nazis dans son âme pour se cacher qu'il les servait dans son corps.

JOHANNA. — Il ne les servait pas !

FRANTZ, *à Johanna.* — Allez ! Vous êtes de la

même espèce. Ses mains les servaient, sa voix les
servait. Il disait à Dieu : « Je ne veux pas ce que
je fais ! » mais il le faisait. (*Revenant à Klages.*)
La guerre passe par toi. En la refusant, tu te
condamnes à l'impuissance : tu as vendu ton âme
pour rien, moraliste. La mienne, je la ferai payer.
(*Un temps.*) D'abord gagner ! Ensuite, on s'occu-
pera de Hitler.

KLAGES. — Il ne sera plus temps.

FRANTZ. — Nous verrons ! (*Revenant sur
Johanna, menaçant.*) On m'avait trompé, Madame,
et j'avais décidé qu'on ne me tromperait plus.

JOHANNA. — Qui vous avait trompé ?

FRANTZ. — Vous le demandez ? Luther. (*Riant.*)
Vu ! Compris ! J'ai envoyé Luther au diable et je
suis parti. La guerre était mon destin et je l'ai
voulue de toute mon âme. J'agissais, enfin ! Je
réinventais les ordres ; j'étais d'accord avec moi.

JOHANNA. — Agir, c'est tuer ?

FRANTZ, *à Johanna.* — C'est agir. Ecrire son
nom.

KLAGES. — Sur quoi ?

FRANTZ, *à Klages.* — Sur ce qui se trouve là.
J'écris le mien sur cette plaine. Je répondrai de
la guerre comme si je l'avais faite à moi seul et,
quand j'aurai gagné, je rempilerai.

JOHANNA, *très sèche.* — Et les prisonniers,
Frantz ?

FRANTZ, *se retournant vers elle.* — Hé ?

JOHANNA. — Vous qui répondez de tout, avez-
vous répondu d'eux ?

FRANTZ, *un temps.* — Je les ai tirés d'affaire.
(*A Klages.*) Comment lui donner cet ordre sans
compromettre ton autorité ? Attends un peu. (*Il*

réfléchit.) Bien ! (*Il va à la porte et l'ouvre.
Appelant.*) Heinrich !

    *Il revient vers la table, Heinrich entre
    en courant.*

SCÈNE VI

FRANTZ, JOHANNA, KLAGES, HEINRICH

HEINRICH, *salut militaire. Garde-à-vous.* — A
vos ordres, mon lieutenant.

    *Un vague sourire de confiance heu-
    reuse, presque tendre, éclaire son visage
    quand il s'adresse à Frantz.*

FRANTZ, *il s'avance vers le feldwebel sans hâte
et l'inspecte de la tête aux pieds.* — Feldwebel,
vous vous négligez. (*Désignant un bouton qui pend
à une boutonnière.*) C'est quoi, ça ?

HEINRICH. — C'est... heu... c'est un bouton,
mon lieutenant.

FRANTZ, *bonhomme.* — Vous alliez le perdre,
mon ami. (*Il le lui arrache d'un coup sec et le
garde dans la main gauche.*) Vous le recoudrez.

HEINRICH, *désolé.* — Mon lieutenant, personne
n'a plus de fil.

FRANTZ. — Tu réponds, sac à merde ? (*Il le
gifle de la main droite, à toute volée, par deux
reprises.*) Ramasse ! (*Il laisse tomber le bouton.
Le feldwebel se baisse pour le ramasser.*) Garde-à-
vous ! (*Le feldwebel a ramassé le bouton. Il se
met au garde-à-vous.*) A partir d'aujourd'hui, le
lieutenant Klages et moi, nous avons décidé de

changer nos fonctions toutes les semaines. Vous le conduirez tout à l'heure aux avant-postes ; moi, jusqu'à lundi, je prends ses attributions. Rompez. (*Heinrich fait le salut militaire.*) Attendez ! (*A Klages.*) Il y a des prisonniers, je crois ?

KLAGES. — Deux.

FRANTZ. — Très bien : je les prends en charge.

HEINRICH, *ses yeux brillent, il croit que Frantz acceptera ses suggestions.* — Mon lieutenant !

FRANTZ, *brutal, l'air étonné.* — Quoi ?

HEINRICH. — C'est des partisans.

FRANTZ. — Possible ! Après ?

HEINRICH. — Si vous permettiez...

KLAGES. — Je lui ai déjà interdit de s'occuper d'eux.

FRANTZ. — Vous entendez, Heinrich ? Voilà qui est réglé. Dehors !

KLAGES. — Attends. Sais-tu ce qu'il m'a demandé ?

HEINRICH, *à Frantz.* — Je... je plaisantais, mon lieutenant.

FRANTZ, *fronçant le sourcil.* — Avec un supérieur ? (*A Klages.*) Qu'a-t-il demandé ?

KLAGES. — « Que ferez.vous si je ne vous obéis pas ? »

FRANTZ, *d'une voix neutre.* — Ah ! (*Il se tourne vers Heinrich.*) Aujourd'hui, Feldwebel, c'est à moi de vous répondre. Si vous n'obéissez pas... (*Frappant sur son étui à revolver*) ... je vous abattrai.

Un temps.

KLAGES, *à Heinrich.* — Conduisez-moi aux avant-postes.

Il échange un clin d'œil avec Frantz et sort derrière Heinrich.

SCÈNE VII

FRANTZ, JOHANNA

FRANTZ. — C'était bien de tuer mes soldats ?

JOHANNA. — Vous ne les avez pas tués.

FRANTZ. — Je n'ai pas *tout* fait pour les empêcher de mourir.

JOHANNA. — Les prisonniers n'auraient pas parlé.

FRANTZ. — Qu'en savez-vous ?

JOHANNA. — Des paysans ? Ils n'avaient rien à dire.

FRANTZ. — Qui prouve que ce n'étaient pas des partisans ?

JOHANNA. — En général, les partisans ne parlent pas.

FRANTZ. — En général, oui ! (*Insistant, l'air fou.*) L'Allemagne vaut bien un crime, hein, quoi ? (*Mondain, d'une aisance égarée, presque bouffonne.*) Je ne sais pas si je me fais comprendre. Vous êtes déjà une autre génération. (*Un temps. Violent, dur, sincère, sans la regarder, l'œil fixe, presque au garde-à-vous.*) La vie brève ; avec une mort de choix ! Marcher ! Marcher ! Aller au bout de l'horreur, dépasser l'Enfer ! Une poudrière : je l'aurais foudroyée dans les ténèbres, tout aurait sauté sauf mon pays ; un instant, j'aurais été le bouquet tournoyant d'un feu d'artifice mémorable et puis plus rien : la nuit et mon nom, seul, sur l'airain. (*Un temps.*) Avouons que j'ai renâclé. Les principes, ma chère,

toujours les principes. Ces deux prisonniers incon-
nus, vous pensez bien que je leur préférais mes
hommes. Il a pourtant fallu que je dise non ! Et
je serais un cannibale ? Permettez : tout au plus
un végétarien. (*Un temps. Pompeux, législateur.*)
Celui qui ne fait pas tout ne fait rien : je n'ai
rien fait. Celui qui n'a rien fait n'est personne.
Personne ? (*Se désignant comme à l'appel.*) Présent ! (*Un temps. A Johanna.*) Voilà le premier
chef d'accusation.

JOHANNA. — Je vous acquitte.

FRANTZ. — Je vous dis qu'il faut en débattre.

JOHANNA. — Je vous aime.

FRANTZ. — Johanna ! (*On frappe à la porte
d'entrée, 5, 4, 2 fois 3 coups. Ils se regardent.*)
Eh bien, c'était un peu tard.

JOHANNA. — Frantz...

FRANTZ. — Un peu tard pour m'acquitter. (*Un
temps.*) Le père a parlé. (*Un temps.*) Johanna,
vous verrez une exécution capitale.

JOHANNA, *le regardant.* — La vôtre ? (*On recommence à frapper.*) Et vous vous laisserez égorger ?
(*Un temps.*) Vous ne m'aimez donc pas ?

FRANTZ, *riant silencieusement.* — Notre amour,
je vous en parlerai tout à l'heure... (*Désignant la
porte.*) ... en sa présence. Ce ne sera pas beau.
Et rappelez-vous ceci : je vous demanderai votre
aide et vous ne me la donnerez pas. (*Un temps.*)
S'il reste une chance... Entrez là.

> *Il l'entraîne vers la salle de bains. Elle
> entre. Il referme la porte et va ouvrir à
> Leni.*

SCÈNE VIII

FRANTZ, LENI

FRANTZ, *il défait précipitamment son bracelet-montre et le met dans sa poche. Leni entre en portant sur une assiette un petit gâteau de Savoie recouvert de sucre blanc. Sur le gâteau, quatre bougies. Elle porte un journal sous son bras gauche.* — Pourquoi me déranger à cette heure-ci ?

LENI. — Tu sais l'heure ?

FRANTZ. — Je sais que tu viens de me quitter.

LENI. — Le temps t'a paru court.

FRANTZ. — Oui. (*Désignant le gâteau.*) Qu'est-ce que c'est ?

LENI. — Un petit gâteau : je te l'aurais donné demain pour ton dessert.

FRANTZ. — Et puis ?

LENI. — Tu vois : je te l'apporte ce soir. Avec des bougies.

FRANTZ. — Des bougies, pourquoi ?

LENI. — Compte-les.

FRANTZ. — Une, deux, trois, quatre. Eh bien ?

LENI. — Tu as trente-quatre ans.

FRANTZ. — Oui : depuis le 15 février.

LENI. — Le 15 février, c'était un anniversaire.

FRANTZ. — Et aujourd'hui ?

LENI. — Une date.

FRANTZ. — Bon. (*Il prend le plateau et le porte sur la table.*) « Frantz ! » C'est toi qui as écrit mon nom ?

LENI. — Qui veux-tu que ce soit ?

FRANTZ. — La Renommée ! (*Il contemple son nom.*) « Frantz » en sucre rose. Plus joli mais moins flatteur que l'airain. (*Il allume les bougies.*) Brûlez doucement, cierges : votre consomption sera la mienne. (*Négligemment.*) Tu as vu le père !

LENI. — Il m'a rendu visite.

FRANTZ. — Dans ta chambre ?

LENI. — Oui !

FRANTZ. — Il est resté longtemps ?

LENI. — Bien assez.

FRANTZ. — Dans ta chambre : c'est une faveur exceptionnelle.

LENI. — Je la paierai !

FRANTZ. — Moi aussi.

LENI. — Toi aussi.

FRANTZ, *il coupe deux tranches du gâteau.* — Ceci est mon corps. (*Il verse du champagne dans deux coupes.*) Ceci est mon sang. (*Il tend le gâteau à Leni.*) Sers-toi. (*Elle secoue la tête en souriant.*) Empoisonné ?

LENI. — Pour quoi faire ?

FRANTZ. — Tu as raison : pourquoi ? (*Il tend une coupe.*) Tu accepteras bien de porter une santé ? (*Leni la prend et la considère avec méfiance.*) Un crabe ?

LENI. — Du rouge à lèvres.

> *Il lui arrache la coupe et la brise contre la table.*

FRANTZ. — C'est le tien ! Tu ne sais pas faire la vaisselle. (*Il lui tend l'autre coupe pleine. Elle la prend. Il verse du champagne dans une troisième coupe qu'il se réserve.*) Bois à moi !

LENI. — A toi.

Elle lève la coupe.

FRANTZ. — A moi ! (*Il choque sa coupe contre la sienne.*) Qu'est-ce que tu me souhaites ?

LENI. — Qu'il n'y ait rien.

FRANTZ. — Rien ? Oh ! Après ? Excellente idée ! (*Levant sa coupe.*) Je bois à rien. (*Il boit, repose la coupe. Leni chancelle, il la reçoit dans ses bras et la conduit au fauteuil.*) Assieds-toi, petite sœur.

LENI, *s'asseyant.* — Excuse-moi : je suis fatiguée. (*Un temps.*) Et le plus dur reste à faire.

FRANTZ. — Très juste.

Il s'essuie le front.

LENI, *comme à elle-même.* — On gèle. Encore un été pourri.

FRANTZ, *stupéfait.* — On étouffe.

LENI, *bonne volonté.* — Ah ? Peut-être.

Elle le regarde.

FRANTZ. — Tu me regardes ?

LENI. — Oui. (*Un temps.*) Tu es un autre. Ça devrait se voir.

FRANTZ. — Ça ne se voit pas ?

LENI. — Non. Je vois *toi.* C'est décevant. (*Un temps.*) La faute n'est à personne, mon chéri : il aurait fallu que tu m'aimes. Mais je pense que tu ne le pouvais pas.

FRANTZ. — Je t'aimais bien.

LENI, *cri de violence et de rage.* — Tais-toi ! (*Elle se maîtrise mais sa voix garde jusqu'au bout une grande dureté.*) Le père m'a dit que tu connaissais notre belle-sœur.

FRANTZ. — Elle vient me voir de temps en temps. Une bien brave fille : je suis content pour

Werner. Qu'est-ce que tu m'as raconté ? Elle n'est pas du tout bossue.

LENI. — Mais si.

FRANTZ. — Mais non ! (*Geste vertical de la main.*) Elle est...

LENI. — Oui : elle a le dos droit. Ça n'empêche pas qu'elle soit bossue. (*Un temps.*) Tu la trouves belle ?

FRANTZ. — Et toi ?

LENI. — Belle comme la mort.

FRANTZ. — C'est très fin ce que tu dis là : je lui en ai fait la réflexion moi-même.

LENI. — Je bois à elle !

> *Elle vide sa coupe et la jette.*

FRANTZ, *ton objectif.* — Tu es jalouse ?

LENI. — Je ne sens rien.

FRANTZ. — Oui. C'est trop tôt.

LENI. — Beaucoup trop tôt.

> *Un temps. Frantz prend un morceau de gâteau et le mange.*

FRANTZ, *désignant le gâteau et riant.* — C'est un étouffe-coquin ! (*Il tient sa tranche de gâteau dans la main gauche. De la droite, il ouvre le tiroir, y prend le revolver et, tout en mangeant, le tend à Leni.*) Tiens.

LENI. — Que veux-tu que j'en fasse ?

FRANTZ, *se montrant.* — Tire. Et laisse-la tranquille.

LENI, *riant.* — Remets ça dans ton tiroir. Je ne sais même pas m'en servir.

FRANTZ, *il garde le bras tendu. Le revolver est à plat dans sa main.* — Tu ne lui feras pas de mal ?

LENI. — L'ai-je soignée treize ans ? Ai-je men-

dié ses caresses ? Avalé ses crachats ? L'ai-je
nourrie, lavée, vêtue, défendue contre tous ? Elle
ne me doit rien et je ne la toucherai pas. Je souhaite qu'elle ait un peu de peine, mais c'est pour
l'amour de toi.

FRANTZ, *c'est plutôt une affirmation.* — Moi, je
te dois tout ?

LENI, *farouche.* — Tout !

FRANTZ, *désignant le revolver.* — Prends-le
donc.

LENI. — Tu en meurs d'envie. Quel souvenir tu
lui laisserais ! Et comme le veuvage lui siérait :
elle en a la vocation. (*Un temps.*) Je ne songe pas
à te tuer, mon cher amour, et je ne crains rien
au monde plus que ta mort. Seulement je suis
obligée de te faire beaucoup de mal : mon intention est de tout dire à Johanna.

FRANTZ. — Tout ?

LENI. — Tout. Je te fracasserai dans son cœur.
(*La main de Frantz se crispe sur le revolver.*)
Tire donc sur ta pauvre sœurette : j'ai fait une
lettre ; en cas de malheur, Johanna la recevra ce
soir. (*Un temps.*) Tu crois que je me venge ?

FRANTZ. — Tu ne te venges pas ?

LENI. — Je fais ce qui est juste. Mort ou vif, il
est juste que tu m'appartiennes puisque je suis la
seule à t'aimer tel que tu es.

FRANTZ. — La seule ? (*Un temps.*) Hier, j'aurais fait un massacre. Aujourd'hui, j'entrevois
une chance. Une chance sur cent pour qu'elle
m'accepte. (*Remettant le revolver dans le tiroir.*)
Si tu es encore vivante, Leni, c'est que j'ai décidé
de courir cette chance jusqu'au bout.

LENI. — Très bien. Qu'elle sache ce que je sais et que la meilleure gagne.

> *Elle se lève, va vers la salle de bains. En passant derrière lui, elle jette le journal sur la table. Frantz sursaute.*

FRANTZ. — Quoi ?

LENI. — C'est le *Frankfurter Zeitung* : on parle de nous.

FRANTZ. — De toi et de moi ?

LENI. — De la famille. Ils font une série d'articles : « Les Géants qui ont reconstruit l'Allemagne. » A tout seigneur, tout honneur ; ils commencent par les Gerlach.

FRANTZ, *il ne se décide pas à prendre le journal.* — Le père est un géant ?

LENI, *désignant l'article.* — C'est ce qu'ils disent ; tu n'as qu'à lire : ils disent que c'est le plus grand de tous. (*Frantz prend le journal avec une sorte de grognement rauque ; il l'ouvre. Il est assis face au public, le dos tourné à la salle de bains, la tête cachée par les feuilles déployées. Leni frappe à la porte de la salle de bains.*) Ouvrez ! Je sais que vous êtes là.

SCÈNE IX

FRANTZ, LENI, JOHANNA

JOHANNA, *ouvrant la porte.* — Tant mieux. Je n'aime pas me cacher. (*Aimable.*) Bonjour.

LENI, *aimable.* — Bonjour.

> Johanna, inquiète, écarte Leni, va
> directement à Frantz et le regarde lire.

JOHANNA. — Les journaux ? (*Frantz ne se
retourne même pas. Tournée vers Leni.*) Vous
allez vite.

LENI. — Je suis pressée.

JOHANNA. — Pressée de le tuer ?

LENI, *haussant les épaules.* — Mais non.

JOHANNA. — Courez : nous avons pris de
l'avance ! Depuis aujourd'hui je suis convaincue
qu'il supportera la vérité.

LENI. — Comme c'est drôle : il est convaincu,
lui aussi, que vous la supporterez.

JOHANNA, *souriant.* — Je supporterai tout. (*Un
temps.*) Le père vous a fait son rapport ?

LENI. — Mais oui.

JOHANNA. — Il m'en avait menacée. C'est lui
qui m'a donné le moyen d'entrer ici.

LENI. — Ah !

JOHANNA. — Il ne vous l'avait pas dit ?

LENI. — Non.

JOHANNA. — Il nous manœuvre.

LENI. — C'est l'évidence.

JOHANNA. — Vous acceptez cela ?

LENI. — Oui.

JOHANNA. — Que demandez-vous ?

LENI, *désignant Frantz.* — Que vous sortiez de
sa vie.

JOHANNA. — Je n'en sortirai plus.

LENI. — Je vous en ferai sortir.

JOHANNA. — Essayez !

> *Un silence.*

FRANTZ, *il pose son journal, se lève, va à*

Johanna. De tout près. — Vous m'avez promis de
ne croire que moi, Johanna, c'est le moment de
vous rappeler votre promesse : aujourd'hui notre
amour ne tient qu'à cela.

JOHANNA. — Je ne croirai que vous. (*Ils se
regardent. Elle lui sourit avec une confiance
tendre mais le visage de Frantz est blême et bouleversé de tics. Il se force à lui sourire, se
détourne, regagne sa place et reprend son journal.*) Eh bien, Leni ?

LENI. — Nous sommes deux. Une de trop. Celle-
là doit se désigner elle-même.

JOHANNA. — Comment ferons-nous ?

LENI. — Il faut une sérieuse épreuve : si vous
gagnez, vous me remplacez.

JOHANNA. — Vous tricherez.

LENI. — Pas la peine.

JOHANNA. — Parce que ?

LENI. — Vous devez perdre.

JOHANNA. — Voyons l'épreuve.

LENI. — Bien. (*Un temps.*) Il vous a parlé du
feldwebel Heinrich et des prisonniers russes ? Il
s'est accusé d'avoir condamné à mort ses camarades en sauvant la vie de deux partisans ?

JOHANNA. — Oui.

LENI. — Et vous lui avez dit qu'il avait eu
raison ?

JOHANNA, *ironique.* — Vous savez tout !

LENI. — Ne vous en étonnez pas : il m'a fait le
coup.

JOHANNA. — Alors ? Vous prétendez qu'il a
menti ?

LENI. — Rien n'est faux de ce qu'il vous a dit.

JOHANNA. — Mais...

LENI. — Mais l'histoire n'est pas finie. Johanna, voici l'épreuve.

FRANTZ. — Formidable ! (*Il rejette le journal et se lève, blême avec des yeux fous.*) Cent vingt chantiers ! On irait de la terre à la lune en mettant bout à bout le parcours annuel de nos bateaux. L'Allemagne est debout ! vive l'Allemagne ! (*Il va vers Leni à grands pas mécaniques.*) Merci, ma sœur. A présent, laisse-nous.

LENI. — Non.

FRANTZ, *impérieux, criant.* — J'ai dit : laisse-nous.

Il veut l'entraîner.

JOHANNA. — Frantz !

FRANTZ. — Eh bien ?

JOHANNA. — Je veux savoir la fin de l'histoire.

FRANTZ. — L'histoire n'en a pas : tout le monde est mort, sauf moi.

LENI. — Regardez-le. Un jour, en 49, il m'a tout avoué.

JOHANNA. — Avoué ? Quoi ?

FRANTZ. — Des bobards. Peut-on lui parler sérieusement ? Je rigolais ! (*Un temps.*) Johanna, vous m'avez promis de ne croire que moi.

JOHANNA. — Oui.

FRANTZ. — Croyez-moi, Bon Dieu ! Croyez-moi donc !

JOHANNA. — Je... Vous n'êtes plus le même en sa présence. (*Leni rit.*) Donnez-moi l'envie de vous croire ! Dites-moi qu'elle ment, parlez ! Vous n'avez rien fait, n'est-ce pas ?

FRANTZ, *c'est presque un grognement.* — Rien.

JOHANNA, *avec violence.* — Mais dites-le, il faut que je vous entende ! Dites : je n'ai rien fait !

FRANTZ, *d'une voix égarée.* — Je n'ai rien fait.

JOHANNA, *elle le regarde avec une sorte de ter-*
reur et se met à crier. — Ha ! (*Elle étouffe son*
cri.) Je ne vous reconnais plus.

FRANTZ, *s'obstinant.* — Je n'ai rien fait.

LENI. — Tu as laissé faire.

JOHANNA. — Qui ?

LENI. — Heinrich.

JOHANNA. — Les deux prisonniers ?...

LENI. — Ces deux-là pour commencer.

JOHANNA. — Il y en a eu d'autres ?

LENI. — C'est le premier pas qui coûte.

FRANTZ. — Je m'expliquerai. Quand je vous vois
toutes les deux, je perds la tête. Vous me tuez...
Johanna, quand nous serons seuls... Tout est allé
si vite... Mais je retrouverai mes raisons, je dirai
la vérité entière, Johanna, je vous aime plus que
ma vie...

> *Il la prend par le bras. Elle se dégage*
> *en hurlant.*

JOHANNA. — Lâchez-moi !

> *Elle se range à côté de Leni. Frantz*
> *reste hébété en face d'elle.*

LENI, *à Johanna.* — L'épreuve est bien mal
engagée.

JOHANNA. — Elle est perdue. Gardez-le.

FRANTZ, *égaré.* — Ecoutez-moi, vous deux...

JOHANNA, *avec une sorte de haine.* — Vous avez
torturé ! Vous !

FRANTZ. — Johanna ! (*Elle le regarde.*) Pas ces
yeux ! Non. Pas ces yeux-là ! (*Un temps.*) Je le
savais ! (*Il éclate de rire et se met à quatre pattes.*)
A reculons ! A reculons ! (*Leni crie. Il se relève.*)
Tu ne m'avais jamais vu en crabe, sœurette ?

(*Un temps.*) Allez-vous-en, toutes les deux ! (*Leni
va vers la table et veut ouvrir le tiroir.*) Cinq
heures dix. Dites à mon père que je lui donne
rendez-vous à six heures dans la Salle des Conseils.
Sortez ! (*Un long silence. La lumière baisse.
Johanna sort la première sans se retourner. Leni
hésite un peu et la suit. Frantz s'assied et reprend
son journal.*) Cent vingt chantiers : un Empire !

ACTE V

Même décor qu'au premier acte. Il est sept
heures. Le jour baisse. On ne s'en aperçoit pas
d'abord parce que les volets des portes-fenêtres
sont clos et que la pièce est plongée dans la
pénombre. L'horloge sonne sept coups. Au troi-
sième coup, le volet de la porte-fenêtre de gauche
s'ouvre du dehors et la lumière entre. Le Père
pousse la porte-fenêtre, il entre à son tour. Au
même moment, la porte de Frantz s'ouvre, au
premier étage, et Frantz paraît sur le palier. Les
deux hommes se regardent un moment. Frantz
porte à la main une petite valise noire et carrée :
son magnétophone.

SCÈNE PREMIÈRE

LE PÈRE, FRANTZ

Frantz, *sans bouger.* — Bonjour, Père.
Le Père, *voix naturelle et familière.* — Bonjour, petit. (*Il chancelle et se rattrape au dossier*
d'une chaise.) Attends : je vais donner de la
lumière.

> *Il ouvre l'autre porte-fenêtre et pousse*
> *l'autre volet. La lumière verdie du pre-*

*mier acte — vers sa fin — entre dans la
pièce.*

FRANTZ, *il a descendu une marche.* — Je vous
écoute.

LE PÈRE. — Je n'ai rien à te dire.

FRANTZ. — Comment ? Vous importunez Leni
par des suppliques...

LE PÈRE. — Mon enfant, je suis dans ce pavillon
parce que tu m'y as convoqué.

FRANTZ, *il le regarde avec stupeur puis éclate
de rire.* — C'est ma foi vrai. (*Il descend une
marche et s'arrête.*) Belle partie ! Vous avez joué
Johanna contre Leni puis Leni contre Johanna.
Mat en trois coups.

LE PÈRE. — Qui est mat ?

FRANTZ. — Moi, le roi des noirs. Vous n'êtes
pas fatigué de gagner ?

LE PÈRE. — Je suis fatigué de tout, mon fils,
sauf de cela : on ne gagne jamais ; j'essaie de
sauver la mise.

FRANTZ, *haussant les épaules.* — Vous finissez
toujours par faire ce que vous voulez.

LE PÈRE. — C'est le plus sûr moyen de perdre.

FRANTZ, *âprement.* — Pour cela, oui ! (*Brusque.*) Au fait, que voulez-vous ?

LE PÈRE. — En ce moment ? Te voir.

FRANTZ. — Me voilà ! Rassasiez-vous de ma vue
tant que vous le pouvez encore : je vous réserve
des informations choisies. (*Le Père tousse.*) Ne
toussez pas.

LE PÈRE, *avec une sorte d'humilité.* — J'essaierai. (*Il tousse encore.*) Ce n'est pas très commode... (*Se maîtrisant.*) Voilà.

FRANTZ, *regardant son père. Lentement.* — Quelle tristesse ! (*Un temps.*) Souriez donc ! C'est fête : père et fils se retrouvent, on tue le veau gras. (*Brusquement.*) Vous ne serez pas mon juge.

LE PÈRE. — Qui parle de cela ?

FRANTZ. — Votre regard. (*Un temps.*) Deux criminels: l'un condamne l'autre au nom de principes qu'ils ont tous deux violés ; comment appelez-vous cette farce ?

LE PÈRE, *tranquille et neutre.* — La Justice. (*Un bref silence.*) Tu es un criminel ?

FRANTZ. — Oui. Vous aussi. (*Un temps.*) Je vous récuse.

LE PÈRE. — Pourquoi donc as-tu voulu me parler ?

FRANTZ. — Pour vous informer : j'ai tout perdu, vous perdrez tout. (*Un temps.*) Jurez sur la Bible que vous ne me jugerez pas ! Jurez ou je rentre à l'instant dans ma chambre.

LE PÈRE, *il va jusqu'à la Bible, l'ouvre, étend la main.* — Je le jure !

FRANTZ. — A la bonne heure ! (*Il descend, va jusqu'à la table et pose le magnétophone sur celle-ci. Il se retourne. Père et fils sont face à face et de plain-pied.*) Où sont les années ? Vous êtes pareil.

LE PÈRE. — Non.

FRANTZ, *il s'approche comme fasciné. Avec une insolence marquée mais défensive.* — Je vous revois sans aucune émotion. (*Un temps, il lève la main et, d'un geste presque involontaire, la pose sur le bras de son père.*) Le vieil Hindenburg. Hein, quoi ? (*Il se rejette en arrière. Sec et mau-*

vais.) J'ai torturé. (*Un silence. Avec violence.*)
Vous entendez ?

LE PÈRE, *sans changer de visage.* — Oui, continue.

FRANTZ. — C'est tout. Les partisans nous har-
celaient ; ils avaient la complicité du village : j'ai
tenté de faire parler les villageois. (*Un silence.
Sec et nerveux.*) Toujours la même histoire.

LE PÈRE, *lourd et lent mais inexpressif.* — Toujours.

> Un temps. Frantz le regarde avec hau-
> teur.

FRANTZ. — Vous me jugez, je crois ?

LE PÈRE. — Non.

FRANTZ. — Tant mieux. Mon cher père, autant
vous prévenir : je suis tortionnaire parce que vous
êtes dénonciateur.

LE PÈRE. — Je n'ai dénoncé personne.

FRANTZ. — Et le rabbin polonais ?

LE PÈRE. — Pas même lui. J'ai pris des
risques... déplaisants.

FRANTZ. — Je ne dis rien d'autre. (*Il revoit le
passé.*) Des risques déplaisants ? Moi aussi, j'en
ai pris. (*Riant.*) Oh ! de très déplaisants ! (*Il rit.
Le Père en profite pour tousser.*) Qu'est-ce qu'il
y a ?

LE PÈRE. — Je ris avec toi.

FRANTZ. — Vous toussez ! Arrêtez, nom de Dieu,
vous me déchirez la gorge.

LE PÈRE. — Excuse-moi.

FRANTZ. — Vous allez mourir ?

LE PÈRE. — Tu le sais.

FRANTZ, *il va pour s'approcher. Brusque*

recul. — Bon débarras ! (*Ses mains tremblent.*)
Cela doit faire un mal de chien.

LE PÈRE. — Quoi ?

FRANTZ. — Cette bon Dieu de toux.

LE PÈRE, *agacé.* — Mais non.

La toux reprend puis se calme.

FRANTZ. — Vos souffrances, je les ressens. (*Le
regard fixe.*) J'ai manqué d'imagination.

LE PÈRE. — Quand ?

FRANTZ. — Là-bas. (*Un long silence. Il s'est
détourné du Père, il regarde vers la porte du
fond. Quand il parle, il vit son passé, au présent,
sauf lorsqu'il s'adresse directement au Père.*) Les
supérieurs : en bouillie ; le Feldwebel et Klages :
à ma main ; les soldats : à mes genoux. Seule
consigne : tenir. Je tiens. Je choisis les vivants et
les morts : toi, va te faire tuer ! toi reste ici ! (*Un
temps. Sur le devant de la scène, noble et sinistre.*)
J'ai le pouvoir suprême. (*Un temps.*) Hein, quoi ?
(*Il paraît écouter un interlocuteur invisible, puis
se retourne vers son père.*) On me demandait :
« Qu'en feras-tu ? »

LE PÈRE. — Qui ?

FRANTZ. — C'était dans l'air de la nuit. Toutes
les nuits. (*Imitant le chuchotement d'interlocu-
teurs invisibles.*) Qu'en feras-tu ? Qu'en feras-tu ?
(*Criant.*) Imbéciles ! J'irai jusqu'au bout. Au bout
du pouvoir ! (*Au Père, brusquement.*) Savez-vous
pourquoi ?

LE PÈRE. — Oui.

FRANTZ, *un peu décontenancé.* — Ah ?

LE PÈRE. — Une fois dans ta vie, tu as connu
l'impuissance.

FRANTZ, *criant et riant*. — Le vieil Hindenburg
a toute sa tête : vive lui ! Oui, je l'ai connue.
(*Cessant de rire.*) Ici, à cause de vous ! Vous leur
avez livré le rabbin, ils se sont mis à quatre pour
me tenir et les autres l'ont égorgé. Qu'est-ce que
je pouvais faire ? (*Levant le petit doigt de la
main gauche et le regardant.*) Pas même lever
l'auriculaire. (*Un temps.*) Expérience curieuse,
mais je la déconseille aux futurs chefs : on ne s'en
relève pas. Vous m'avez fait Prince, mon père.
Et savez-vous ce qui m'a fait Roi ?

LE PÈRE. — Hitler.

FRANTZ. — Oui. Par la honte. Après cet... inci-
dent, le pouvoir est devenu ma vocation. Savez-
vous aussi que je l'ai admiré ?

LE PÈRE. — Hitler ?

FRANTZ. — Vous ne le saviez pas ? Oh ! je l'ai
haï. Avant, après. Mais ce jour-là, il m'a possédé.
Deux chefs, il faut que cela s'entretue ou que l'un
devienne la femme de l'autre. J'ai été la femme
de Hitler. Le rabbin saignait et je découvrais, au
cœur de mon impuissance, je ne sais quel assentiment. (*Il revit le passé.*) J'ai le pouvoir suprême.
Hitler m'a fait un Autre, implacable et sacré :
lui-même. Je suis Hitler et je me surpasserai. (*Un
temps. Au Père.*) Plus de vivres ; mes soldats
rôdaient autour de la grange. (*Revivant le passé.*)
Quatre bons Allemands m'écraseront contre le sol
et mes hommes à moi saigneront les prisonniers à
blanc. Non ! Je ne retomberai jamais dans l'abjecte impuissance. Je le jure. Il fait noir. L'horreur est encore enchaînée... je les prendrai de
vitesse : si quelqu'un la déchaîne, ce sera moi. Je
revendiquerai le mal, je manifesterai mon pouvoir

par la singularité d'un acte inoubliable : changer
l'homme en vermine *de son vivant* ; je m'occupe-
rai seul des prisonniers, je les précipiterai dans
l'abjection : ils parleront. Le pouvoir est un abîme
dont je vois le fond ; cela ne suffit pas de choisir
les morts futurs ; par un canif et un briquet, je
déciderai du règne humain. (*Egaré.*) Fascinant !
Les souverains vont en Enfer, c'est leur gloire :
j'irai.

> *Il demeure halluciné sur le devant de
> la scène.*

Le Père, *tranquillement.* — Ils ont parlé ?

Frantz, *arraché à ses souvenirs.* — Hein, quoi ?
(*Un temps.*) Non. (*Un temps.*) Morts avant.

Le Père. — Qui perd gagne.

Frantz. — Eh ! tout s'apprend : je n'avais pas
la main. Pas encore.

Le Père, *sourire triste.* — N'empêche : le règne
humain, ce sont eux qui en ont décidé.

Frantz, *hurlant.* — J'aurais fait comme eux !
Je serais mort sous les coups sans dire un mot !
(*Il se calme.*) Et puis, je m'en fous ! J'ai gardé
mon autorité.

Le Père. — Longtemps ?

Frantz. — Dix jours. Au bout de ces dix jours,
les chars ennemis ont attaqué, nous sommes tous
morts — même les prisonniers. (*Riant.*) Pardon !
Sauf moi ! moi pas mort ! Pas mort du tout ! (*Un
temps.*) Rien n'est certain de ce que j'ai dit —
sinon que j'ai torturé.

Le Père. — Après ? (*Frantz hausse les épaules.*)
Tu as marché sur les routes ? Tu t'es caché ? Et
puis tu es revenu chez nous ?

Frantz. — Oui. (*Un temps.*) Les ruines me jus-

tifiaient : j'aimais nos maisons saccagées, nos
enfants mutilés. J'ai prétendu que je m'enfermais
pour ne pas assister à l'agonie de l'Allemagne ;
c'est faux. J'ai souhaité la mort de mon pays et je
me séquestrais pour n'être pas témoin de sa résur-
rection. (*Un temps.*) Jugez-moi !

LE PÈRE. — Tu m'as fait jurer sur la Bible...

FRANTZ. — J'ai changé d'avis : finissons-en.

LE PÈRE. — Non.

FRANTZ. — Je vous dis que je vous délie de
votre serment.

LE PÈRE. — Le tortionnaire accepterait le ver-
dict du dénonciateur ?

FRANTZ. — Il n'y a pas de Dieu, non ?

LE PÈRE. — Je crains qu'il n'y en ait pas : c'est
même parfois bien embêtant.

FRANTZ. — Alors, dénonciateur ou non, vous êtes
mon juge naturel. (*Un temps. Le Père fait non de
la tête.*) Vous ne me jugerez pas ? Pas du tout ?
Alors, vous avez autre chose en tête ! Ce sera
pis ! (*Brusquement.*) Vous attendez. Quoi ?

LE PÈRE. — Rien : tu es là.

FRANTZ. — Vous attendez ! Je les connais vos
longues, longues attentes : j'en ai vu en face de
vous, des durs, des méchants. Ils vous injuriaient,
vous ne disiez rien, vous attendiez : à la fin les
bonshommes se liquéfiaient. (*Un temps.*) Parlez !
Parlez ! Dites n'importe quoi. C'est insupportable.

Un temps.

LE PÈRE. — Que vas-tu faire ?

FRANTZ. — Je remonterai là-haut.

LE PÈRE. — Quand redescendras-tu ?

FRANTZ. — Plus jamais.

LE PÈRE. — Tu ne recevras personne ?

FRANTZ. — Je recevrai Leni : pour le service.

LE PÈRE. — Et Johanna ?

FRANTZ, *sec.* — Fini ! (*Un temps.*) Cette fille a manqué de cran...

LE PÈRE. — Tu l'aimais ?

FRANTZ. — La solitude me pesait. (*Un temps.*) Si elle m'avait accepté comme je suis...

LE PÈRE. — Est-ce que tu t'acceptes, toi ?

FRANTZ. — Et vous ? Vous m'acceptez ?

LE PÈRE. — Non.

FRANTZ, *profondément atteint.* — Pas même un père.

LE PÈRE. — Pas même.

FRANTZ, *d'une voix altérée.* — Alors ? Qu'est-ce que nous foutons ensemble ? (*Le Père ne répond pas. Avec une angoisse profonde.*) Ah, je n'aurais pas dû vous revoir ! Je m'en doutais ! Je m'en doutais.

LE PÈRE. — De quoi ?

FRANTZ. — De ce qui m'arriverait.

LE PÈRE. — Il ne t'arrive rien.

FRANTZ. — Pas encore. Mais vous êtes là et moi ici : comme dans mes rêves. Et, comme dans mes rêves, vous attendez. (*Un temps.*) Très bien. Moi aussi, je peux attendre. (*Désignant la porte de sa chambre.*) Entre vous et moi, je mettrai cette porte. Six mois de patience. (*Un doigt vers la tête du père.*) Dans six mois ce crâne sera vide, ces yeux ne verront plus, les vers boufferont ces lèvres et le mépris qui les gonfle.

LE PÈRE. — Je ne te méprise pas.

FRANTZ, *ironique.* — En vérité ! Après ce que je vous ai appris ?

LE PÈRE. — Tu ne m'as rien appris du tout.

FRANTZ, *stupéfait*. — Plaît-il ?

LE PÈRE. — Tes histoires de Smolensk, je les connais depuis trois ans.

FRANTZ, *violent*. — Impossible ! Morts ! Pas de témoin. Morts et enterrés. Tous.

LE PÈRE. — Sauf deux que les Russes ont libérés. Ils sont venus me voir. C'était en mars 56. Ferist et Scheidemann : tu te les rappelles ?

FRANTZ, *décontenancé*. — Non. (*Un temps.*) Qu'est-ce qu'ils voulaient ?

LE PÈRE. — De l'argent contre du silence.

FRANTZ. — Alors ?

LE PÈRE. — Je ne sais pas chanter.

FRANTZ. — Ils sont...

LE PÈRE. — Muets. Tu les avais oubliés : continue.

FRANTZ, *le regard dans le vide*. — Trois ans ?

LE PÈRE. — Trois ans. J'ai notifié presque aussitôt ton décès, et, l'année suivante, j'ai rappelé Werner : c'était plus prudent.

FRANTZ, *il n'a pas écouté*. — Trois ans ! Je tenais des discours aux Crabes, je leur mentais ! Et pendant trois ans, ici, j'étais à découvert. (*Brusquement.*) C'est depuis ce moment, n'est-ce pas, que vous cherchez à me voir ?

LE PÈRE. — Oui.

FRANTZ. — Pourquoi ?

LE PÈRE, *haussant les épaules*. — Comme cela !

FRANTZ. — Ils étaient assis dans votre bureau, vous les écoutiez parce qu'ils m'avaient connu et puis — à un moment donné — l'un des deux vous a dit : « Frantz von Gerlach est un bourreau. » Coup de théâtre ! (*Essayant de plaisanter.*) Cela vous a bien surpris, j'espère ?

Le Père. — Non. Pas beaucoup.

Frantz, *criant.* — J'étais propre, quand je vous ai quitté ! J'étais pur, j'avais voulu sauver le Polonais... Pas surpris ? (*Un temps.*) Qu'avez-vous pensé ? Vous ne saviez rien encore et, tout d'un coup, vous avez su ! (*Criant plus fort.*) Qu'avez-vous pensé, nom de Dieu !

Le Père, *tendresse profonde et sombre.* — Mon pauvre petit !

Frantz. — Quoi ?

Le Père. — Tu me demandes ce que j'ai pensé ! Je te le dis. (*Un temps. Frantz se redresse de toute sa taille puis s'abat en sanglotant sur l'épaule de son père.*) Mon pauvre petit ! (*Il lui caresse gauchement la nuque.*) Mon pauvre petit !

Un temps.

Frantz, *se redressant brusquement.* — Halte ! (*Un temps.*) Effet de surprise. Seize ans que je n'avais pleuré : je recommencerai dans seize ans. Ne me plaignez pas, cela me donne envie de mordre. (*Un temps.*) Je ne m'aime pas beaucoup.

Le Père. — Pourquoi t'aimerais-tu ?

Frantz. — En effet.

Le Père. — C'est moi que cela regarde.

Frantz. — Vous m'aimez, vous ? Vous aimez le boucher de Smolensk ?

Le Père. — Le boucher de Smolensk, c'est toi.

Frantz. — Bon, bon, ne vous gênez pas. (*Rire volontairement vulgaire.*) Tous les goûts sont dans la nature. (*Brusquement.*) Vous me travaillez ! Quand vous montrez vos sentiments, c'est qu'ils peuvent servir vos projets. Je vous dis que vous me travaillez : des coups de boutoir et puis on s'attendrit ; quand vous me jugerez à point...,

Allons ! Vous n'avez eu que trop de temps pour ruminer cette affaire et vous êtes trop impérieux pour n'avoir pas envie de la régler à votre façon.

LE PÈRE, *ironie sombre.* — Impérieux ! Cela m'a bien passé. (*Un temps. Il rit pour lui seul, égayé mais sinistre. Puis il se retourne sur Frantz. Avec une grande douceur, implacable.*) Mais pour cette affaire, oui : je la réglerai.

FRANTZ, *bondissant en arrière.* — Je vous en empêcherai : est-ce que cela vous regarde ?

LE PÈRE. — Je veux que tu ne souffres plus.

FRANTZ, *dur et brutal comme s'il accusait une autre personne.* — Je ne souffre pas : j'ai fait souffrir. Peut-être saisirez-vous la nuance ?

LE PÈRE. — Je la saisis.

FRANTZ. — J'ai tout oublié. Jusqu'à leurs cris. Je suis vide.

LE PÈRE. — Je m'en doute. C'est encore plus dur, non ?

FRANTZ. — Pourquoi voulez-vous ?

LE PÈRE. — Tu es possédé depuis quatorze ans par une souffrance que tu as fait naître et que tu ne ressens pas.

FRANTZ. — Mais qui vous demande de parler de moi ? Oui. C'est encore plus dur : je suis son cheval, elle me chevauche. Je ne vous souhaite pas ce cavalier-là. (*Brusquement.*) Alors ? Quelle solution ? (*Il regarde son père, les yeux écarquillés.*) Allez au diable !

> *Il lui tourne le dos et remonte l'escalier péniblement.*

LE PÈRE, *il n'a pas fait un geste pour le retenir. Mais quand Frantz est sur le palier du premier étage, il parle d'une voix forte.* — L'Allemagne

est dans ta chambre ! (*Frantz se retourne lentement.*) Elle vit, Frantz ! Tu ne l'oublieras plus.

FRANTZ. — Elle vivote, je le sais, malgré sa
défaite. Je m'en arrangerai.

LE PÈRE. — A cause de sa défaite, c'est la plus
grande puissance de l'Europe. T'en arrangeras-tu ?
(*Un temps.*) Nous sommes la pomme de discorde
et l'enjeu. On nous gâte ; tous les marchés nous
sont ouverts, nos machines tournent : c'est une
forge. Défaite providentielle, Frantz : nous avons
du beurre et des canons. Des soldats, mon fils !
Demain la bombe ! Alors nous secouerons la cri-
nière et tu les verras sauter comme des puces, nos
tuteurs.

FRANTZ, *dernière défense.* — Nous dominons
l'Europe et nous sommes battus ! Qu'aurions-nous
fait vainqueurs ?

LE PÈRE. — Nous ne pouvions pas vaincre.

FRANTZ. — Cette guerre, il fallait donc la
perdre ?

LE PÈRE. — Il fallait la jouer à qui perd gagne :
comme toujours.

FRANTZ. — C'est ce que vous avez fait ?

LE PÈRE. — Oui : depuis le début des hosti-
lités.

FRANTZ. — Et ceux qui aimaient assez le pays
pour sacrifier leur honneur militaire à la vic-
toire...

LE PÈRE, *calme et dur.* — Ils risquaient de pro-
longer le massacre et de nuire à la reconstruction.
(*Un temps.*) La vérité, c'est qu'ils n'ont rien fait
du tout, sauf des meurtres individuels.

FRANTZ. — Beau sujet de méditation : voilà de
quoi m'occuper dans ma chambre.

LE PÈRE. — Tu n'y resteras plus un instant.

FRANTZ. — C'est ce qui vous trompe : je nierai ce pays qui me renie.

LE PÈRE. — Tu l'as tenté treize ans sans grand succès. A présent, tu sais tout : comment pourrais-tu te reprendre à tes comédies ?

FRANTZ. — Et comment pourrais-je m'en déprendre ? Il faut que l'Allemagne crève ou que je sois un criminel de droit commun.

LE PÈRE. — Exact.

FRANTZ. — Alors ? (*Il regarde le Père, brusquement.*) Je ne veux pas mourir.

LE PÈRE, *tranquillement.* — Pourquoi pas ?

FRANTZ. — C'est bien à vous de le demander. Vous avez écrit votre nom.

LE PÈRE. — Si tu savais comme je m'en fous !

FRANTZ. — Vous mentez, Père : vous vouliez faire des bateaux et vous les avez faits.

LE PÈRE. — Je les faisais pour toi.

FRANTZ. — Tiens ! Je croyais que vous m'aviez fait pour eux. De toute façon, ils sont là. Mort, vous serez une flotte. Et moi ? Qu'est-ce que je laisserai ?

LE PÈRE. — Rien.

FRANTZ, *avec égarement.* — Voilà pourquoi je vivrai cent ans. Je n'ai que ma vie, moi. (*Hagard.*) Je n'ai qu'elle ! On ne me la prendra pas. Croyez que je la déteste, mais je la préfère à *rien*.

LE PÈRE. — Ta vie, ta mort, de toute façon, c'est *rien*. Tu n'es rien, tu ne fais rien, tu n'as rien fait, tu ne peux rien faire. (*Un long temps. Le Père s'approche lentement de l'escalier. Il se place contre la lampe au-dessous de Frantz et lui parle en levant la tête.*) Je te demande pardon.

FRANTZ, *raidi par la peur.* — A moi, vous ?
C'est une combine ! (*Le Père attend. Brusquement.*) Pardon de quoi ?

LE PÈRE. — De toi. (*Un temps. Avec un sourire.*) Les parents sont des cons : ils arrêtent le
soleil. Je croyais que le monde ne changerait plus.
Il a changé. Te rappelles-tu cet avenir que je
t'avais donné ?

FRANTZ. — Oui.

LE PÈRE. — Je t'en parlais sans cesse et, toi, tu
le voyais. (*Frantz fait un signe d'assentiment.*)
Eh bien, ce n'était que mon passé.

FRANTZ. — Oui.

LE PÈRE. — Tu le savais ?

FRANTZ. — Je l'ai toujours su. Au début, cela
me plaisait.

LE PÈRE. — Mon pauvre petit ! Je voulais que
tu mènes l'Entreprise après moi. C'est elle qui
mène. Elle choisit ses hommes. Moi, elle m'a éli-
miné : je possède mais je ne commande plus. Et
toi, petit prince, elle t'a refusé du premier instant : qu'a-t-elle besoin d'un prince ? Elle forme
et recrute elle-même ses gérants. (*Frantz descend
les marches lentement pendant que le Père parle.*)
Je t'avais donné tous les mérites et mon âpre goût
du pouvoir, cela n'a pas servi. Quel dommage !
Pour agir, tu prenais les plus gros risques et, tu
vois, elle transformait en gestes tous tes actes. Ton
tourment a fini par te pousser au crime et jusque
dans le crime elle t'annule : elle s'engraisse de ta
défaite. Je n'aime pas les remords, Frantz, cela
ne sert pas. Si je pouvais croire que tu sois efficace
ailleurs et autrement... Mais je t'ai fait monarque ;
aujourd'hui cela veut dire : propre à rien.

FRANTZ, *avec un sourire.* — J'étais voué ?

LE PÈRE. — Oui.

FRANTZ. — A l'impuissance ?

LE PÈRE. — Oui.

FRANTZ. — Au crime ?

LE PÈRE. — Oui.

FRANTZ. — Par vous ?

LE PÈRE. — Par mes passions, que j'ai mises en toi. Dis à ton tribunal de Crabes que je suis seul coupable — et de tout.

FRANTZ, *même sourire.* — Voilà ce que je voulais vous entendre dire. (*Il descend les dernières marches et se trouve de plain-pied avec le Père.*) Alors j'accepte.

LE PÈRE. — Quoi ?

FRANTZ. — Ce que vous attendez de moi. (*Un temps.*) Une seule condition, tous les deux, tout de suite.

LE PÈRE, *brusquement décontenancé.* — Tout de suite ?

FRANTZ. — Oui.

LE PÈRE, *voix enrouée.* — Tu veux dire aujourd'hui ?

FRANTZ. — Je veux dire : à l'instant. (*Un silence.*) C'est ce que vous vouliez ?

LE PÈRE, *il tousse.* — Pas... si tôt.

FRANTZ. — Pourquoi pas ?

LE PÈRE. — Je viens de te retrouver.

FRANTZ. — Vous n'avez retrouvé *personne.* Même pas vous. (*Il est calme et simple, pour la première fois, mais parfaitement désespéré.*) Je n'aurai rien été qu'une de vos images. Les autres sont restées dans votre tête. Le malheur a voulu que celle-ci se soit incarnée. A Smolensk, une

nuit, elle a eu... quoi ? Une minute d'indépendance. Et voilà : vous êtes coupable de tout sauf
de cela. (*Un temps.*) J'ai vécu treize ans avec un
revolver chargé dans mon tiroir. Savez-vous pourquoi je ne me suis pas tué ? Je me disais : ce qui
est fait restera fait. (*Un temps. Profondément sincère.*) Cela n'arrange rien de mourir : cela ne
m'arrange pas. J'aurais voulu... vous allez rire :
j'aurais voulu n'être jamais né. Je ne mentais pas
toujours, là-haut. Le soir, je me promenais à travers la chambre et je pensais à vous.

LE PÈRE. — J'étais ici, dans ce fauteuil. Tu
marchais : je t'écoutais.

FRANTZ, *indifférent et neutre.* — Ah ! (*Enchaînant.*) Je pensais : s'il trouvait moyen de la rat-
trapper, cette image rebelle, de la reprendre en
moi, de l'y résorber, il n'y aurait jamais eu que
lui.

LE PÈRE. — Frantz, il n'y a jamais eu que moi.

FRANTZ. — C'est vite dit : prouvez-le. (*Un
temps.*) Tant que nous vivrons, nous serons deux.
(*Un temps.*) La Mercédès avait six places mais
vous n'emmeniez que moi. Vous disiez : « Frantz,
il faut t'aguerrir, nous ferons de la vitesse. »
J'avais huit ans ; nous prenions cette route au
bord de l'Elbe... Il existe toujours, le Teufelsbrücke ?

LE PÈRE. — Toujours.

FRANTZ. — Passe dangereuse : il y avait des
morts chaque année.

LE PÈRE. — Il y en a chaque année davantage.

FRANTZ. — Vous disiez : « Nous y sommes » en
appuyant sur l'accélérateur. J'étais fou de peur
et de joie.

LE PÈRE, *souriant légèrement*. — Une fois, nous avons failli capoter.

FRANTZ. — Deux fois. Les autos vont plus vite, aujourd'hui ?

LE PÈRE. — La Porsche de ta sœur fait du 180.

FRANTZ. — Prenons-là.

LE PÈRE. — Si tôt !..

FRANTZ. — Qu'espérez-vous ?

LE PÈRE. — Un répit.

FRANTZ. — Vous l'avez. (*Un temps.*) Vous savez bien qu'il ne durera pas. (*Un temps.*) Je ne passe pas d'heure sans vous haïr.

LE PÈRE. — En ce moment ?

FRANTZ. — En ce moment, non. (*Un temps.*) Votre image se pulvérisera avec toutes celles qui ne sont jamais sorties de votre tête. Vous aurez été ma cause et mon destin jusqu'au bout.

Un temps.

LE PÈRE. — Bien. (*Un temps.*) Je t'ai fait, je te déferai. Ma mort enveloppera la tienne et, finalement, je serai seul à mourir. (*Un temps.*) Attends. Pour moi non plus, je ne pensais pas que tout irait si vite. (*Avec un sourire qui cache mal son angoisse.*) C'est drôle, une vie qui éclate sous un ciel vide. Ça... ça ne veut rien dire. (*Un temps.*) Je n'aurai pas de juge. (*Un temps.*) Tu sais, moi non plus, je ne m'aimais pas.

FRANTZ, *posant la main sur le bras du Père*. — Cela me regardait.

LE PÈRE, *même jeu*. — Enfin, voilà. Je suis l'ombre d'un nuage ; une averse et le soleil éclairera la place où j'ai vécu. Je m'en fous : qui gagne perd. L'Entreprise qui nous écrase, je l'ai faite. Il n'y a rien à regretter. (*Un temps.*) Frantz, veux-tu faire un peu de vitesse ? Cela t'aguerrira.

FRANTZ. — Nous prenons la Porsche ?

LE PÈRE. — Bien sûr. Je vais la sortir du garage. Attends-moi.

FRANTZ. — Vous ferez le signal ?

LE PÈRE. — Les phares ? Oui. (*Un temps.*) Leni et Johanna sont sur la terrasse. Dis-leur adieu.

FRANTZ. — Je... Soit... Appelez-les.

LE PÈRE. — A tout à l'heure, mon petit.

Il sort.

SCÈNE II

FRANTZ seul, puis LENI et JOHANNA

> *On entend le Père crier à la cantonade.*

LE PÈRE, *à la cantonade.* — Johanna ! Leni !
> *Frantz s'approche de la cheminée et regarde sa photo. Brusquement, il arrache le crêpe et le jette sur le sol.*

LENI, *qui vient d'apparaître sur le seuil.* — Qu'est-ce que tu fais ?

FRANTZ, *riant.* — Je suis vivant, non ?
> *Johanna entre à son tour. Il revient sur le devant de la scène.*

LENI. — Tu es en civil, mon lieutenant ?

FRANTZ. — Le père va me conduire à Hambourg et je m'embarquerai demain. Vous ne me verrez plus. Vous avez gagné, Johanna : Werner est libre. Libre comme l'air. Bonne chance. (*Il est au bord de la table. Touchant le magnétophone de l'index.*) Je vous fais cadeau du magnétophone.

Avec mon meilleur enregistrement : le 17 décembre 53. J'étais inspiré. Vous l'écouterez plus tard : un jour que vous voudrez connaître l'argument de la Défense, ou tout simplement, vous rappeler ma voix. L'acceptez-vous ?

JOHANNA. — Je l'accepte.

FRANTZ. — Adieu.

JOHANNA. — Adieu.

FRANTZ. — Adieu, Leni. (*Il lui caresse les cheveux comme le Père.*) Tes cheveux sont doux.

LENI. — Quelle voiture prenez-vous ?

FRANTZ. — La tienne.

LENI. — Et par où passerez-vous ?

FRANTZ. — Par l'Elbe-Chaussée.

> *Deux phares d'auto s'allument au dehors ; leur lumière éclaire la pièce à travers la porte-fenêtre.*

LENI. — Je vois. Le père te fait signe. Adieu.

> *Frantz sort. Bruit d'auto. Le bruit s'enfle et décroît. Les lumières ont balayé l'autre porte-fenêtre et ont disparu. La voiture est partie.*

SCÈNE III

JOHANNA, LENI

LENI. — Quelle heure est-il ?

JOHANNA, *plus proche de l'horloge.* — Six heures trente-deux.

Leni. — A six heures trente-neuf ma Porsche sera dans l'eau. Adieu !

Johanna, *saisie.* — Pourquoi ?

Leni. — Parce que le Teufelsbrücke est à sept minutes d'ici.

Johanna. — Ils vont...

Leni. — Oui.

Johanna, *dure et crispée.* — Vous l'avez tué !

Leni, *aussi dure.* — Et vous ? (*Un temps.*) Qu'est-ce que cela peut faire : il ne voulait pas vivre.

Johanna, *qui se tient toujours, prête à craquer.* — Sept minutes.

Leni, *elle se rapproche de l'horloge.* — Six à présent. Non. Cinq et demie.

Johanna. — Est-ce qu'on ne peut pas...

Leni, *toujours dure.* — Les rattraper ? Essayez. (*Un silence.*) Qu'allez-vous faire à présent ?

Johanna, *essayant de se durcir.* — Werner en décidera. Et vous ?

Leni, *désignant la chambre de Frantz.* — Il faut un séquestré, là-haut. Ce sera moi. Je ne vous reverrai plus, Johanna. (*Un temps.*) Ayez la bonté de dire à Hilde qu'elle frappe à cette porte demain matin, je lui donnerai mes ordres. (*Un temps.*) Deux minutes encore. (*Un temps.*) Je ne vous détestais pas. (*Elle s'approche du magnétophone.*) L'argument de la Défense.

Elle l'ouvre.

Johanna. — Je ne veux pas...

Leni. — Sept minutes ! Laissez donc : ils sont morts.

Elle appuie sur le bouton du magnéto-phone immédiatement après ses derniers

> *mots. La voix de Frantz retentit presque*
> *aussitôt. Leni traverse la pièce pendant*
> *que Frantz parle. Elle monte l'escalier et*
> *entre dans la chambre.*

VOIX DE FRANTZ, *au magnétophone.* — Siècles,
voici mon siècle, solitaire et difforme, l'accusé.
Mon client s'éventre de ses propres mains ; ce que
vous prenez pour une lymphe blanche, c'est du
sang : pas de globules rouges, l'accusé meurt de
faim. Mais je vous dirai le secret de cette perfo-
ration multiple : le siècle eût été bon si l'homme
n'eût été guetté par son ennemi cruel, immé-
morial, par l'espèce carnassière qui avait juré sa
perte, par la bête sans poil et maligne, par
l'homme. Un et un font un, voilà notre mystère.
La bête se cachait, nous surprenions son regard,
tout à coup, dans les yeux intimes de nos pro-
chains ; alors nous frappions : légitime défense
préventive. J'ai surpris la bête, j'ai frappé, un
homme est tombé, dans ses yeux mourants j'ai
vu la bête, toujours vivante, moi. Un et un font
un : quel malentendu ! De qui, de quoi, ce goût
rance et fade dans ma gorge ? De l'homme ? De
la bête ? De moi-même ? C'est ce goût du siècle.
Siècles heureux, vous ignorez nos haines, comment comprendriez-vous l'atroce pouvoir de nos
mortelles amours. L'amour, la haine, un et un...
Acquittez-nous ! Mon client fut le premier à
connaître la honte : il sait qu'il est nu. Beaux
enfants, vous sortez de nous, nos douleurs vous
auront faits. Ce siècle est une femme, il accouche,
condamnerez-vous votre mère ? Hé ? Répondez
donc ! (*Un temps.*) Le trentième ne répond plus.
Peut-être n'y aura-t-il plus de siècles après le nôtre.

Peut-être qu'une bombe aura soufflé les lumières.
Tout sera mort : les yeux, les juges, le temps.
Nuit. O tribunal de la nuit, toi qui fus, qui seras,
qui es, j'ai été ! J'ai été ! Moi, Frantz, von Gerlach, ici, dans cette chambre, j'ai pris le siècle
sur mes épaules et j'ai dit : j'en répondrai. En
ce jour et pour toujours. Hein quoi ?

> *Leni est entrée dans la chambre de
> Frantz. Werner paraît à la porte du
> pavillon. Johanna le voit et se dirige vers
> lui. Visages inexpressifs. Ils sortent sans
> se parler. A partir de « Répondez donc »,
> la scène est vide.*

Rideau

TABLE

TABLE

ŒUVRES DE JEAN-PAUL SARTRE

(*Suite*)

Essais Politiques :

RÉFLEXIONS SUR LA QUESTION JUIVE.

ENTRETIENS SUR LA POLITIQUE, *par J.-P. Sartre, David Rousset, Gérard Rosenthal.*

L'AFFAIRE HENRI MARTIN, *textes commentés par J.-P. Sartre.*

Édition de luxe illustrée :

LE MUR (*avec trente-six gravures à l'eau-forte, en couleurs, par Mario Prassinos*).

ACHEVÉ D'IMPRIMER
EN AVRIL 1960 PAR
EMMANUEL GREVIN et FILS
A LAGNY-SUR-MARNE

Dépôt légal : 1er trimestre 1960.
No d'Ed. 7459. — No d'Imp. 6168.
Imprimé en France.